Anfonaf Eiriau
Atgofion Drwy Ganeuon

Anfonaf Eiriau

Atgofion Drwy Ganeuon

Hywel Gwynfryn

Gol.: Lyn Ebenezer

Gwasg Carreg Gwalch

Argraffiad cyntaf: 2022
Hawlfraint y caneuon a'r testun: Hywel Gwynfryn 2022
Hawlfraint y gyfrol: Gwasg Carreg Gwalch 2022

ISBN clawr meddal: 978-1-84527-854-0

ISBN elyfr: 978-1-84524-494-1

CYNGOR LLYFRAU CYMRU

Cyhoeddwyd gyda chymorth Cyngor Llyfrau Cymru

Cynllun y clawr: Eleri Owen

Cyhoeddwyd gan Wasg Carreg Gwalch,
12 Iard yr Orsaf, Llanrwst, Dyffryn Conwy, Cymru LL26 oEH.
Ffôn: 01492 642031
e-bost: llyfrau@carreg-gwalch.cymru
lle ar y we: www.carreg-gwalch.cymru

Argraffwyd a chyhoeddwyd yng Nghymru

I fy ngwraig Anja
am fod yno'n wastadol

Ac er cof am Magi Dodd,
un o gynhyrchwyr brwdfrydig
Radio Cymru

Cynnwys

Rhagair

Yn y dechreuad yr oedd y Gair

Yr amser: Saith o'r gloch. Y lleoliad: Sêt fawr Capel Smyrna, Llangefni, ar unrhyw nos Sul rhwng 1948 a 1957. O flaen y gynulleidfa mae 'na ddeg o blant yn sefyll mewn rhes yn barod i adrodd eu hadnodau. Ac mae'r bachgen dan sylw yn sefyll ar ben y rhes, fel y bydd o bob nos Sul. Fo fydd yr olaf i ddeud ei adnodau.

Sylwer ar y lluosog. Nid Duw cariad yw, Cofiwch wraig Lot, Myfi yw goleuni'r byd, ond hanes y Mab Afradlon ar ei hyd, a thair adnod ar ddeg o Epistol Paul sy'n esbonio i'r Corinthiaid beth ydi gwir gariad. A'r drydedd salm ar hugain. Mae'r cyfan yn rhan o'i 'repertoire'. Mae o wrth ei fodd yn sefyll yno a chael pawb i wrando arno. Erbyn hyn mae'r pregethwr wedi cyrraedd pen y rhes ac yn gosod ei law yn ysgafn ar ysgwydd y bachgen.

'A be 'di dy enw di, ngwash i?'

'Hywel. Hywel Gwynfryn.'

'Reit ta Hwal. Pan wyt ti'n barod...'

Ond tydi o ddim yn barod. Mae o'n syllu i gyfeiriad ei fam tu ôl i'r organ.

'Paid ti â dechra nes bydda i wedi rhoi'r nòd.'

Dyna'r rhybudd gafodd o ganddi hi ryw awr yn gynharach, cyn cerdded i lawr i'r sêt fawr. Yr enw technegol ar yr arwydd ym myd llefaru adnodau a chystadlu eisteddfodol yr ugeinfed ganrif oedd 'Nòd'. Gair sy'n odli gyda'r gair 'ad-nod', fel mae'n digwydd, ac yn disgrifio symudiad cynnil fel arfer gan fam y plentyn gyda'r pen ar un ochor. Yn aml iawn fe fydd y nòd yn cyd-fynd â gwên fach garedig ar yr wyneb sy'n cyfleu cefnogaeth ac ymddiriedaeth lwyr. Y tad fyddai'n dysgu'r adnodau i'r bachgen, neu, â defnyddio gair technegol arall yn 'drilio'r hogyn'. Yn union fel y byddai wedi gweiddi gorchmynion ar aelodau criw'r tanceri olew y bu'n gapten arnynt yn ystod y rhyfel wyth mlynedd ynghynt.

Erbyn nos Fercher, byddai'r adnodau ar ei gof, a'r robot bach yn barod am y rhan nesa o'r broses sef 'y polish'. Roedd ei fam yn actores amatur ac yn actio ar y radio hefyd o bryd i'w gilydd. Byddai weithiau, cyn mynd i'r BBC ym Mangor, yn dangos i'r hogyn bach sut 'roedd hi'n tynnu llinell goch o dan rai o'r geiriau yn y sgript er mwyn cofio mai rheini oedd y geiriau pwysig...

Yr Arglwydd YW fy Mugail...

Naci, naci, Hywel. Tydi'r 'yw' ddim yn bwysig... Tria eto...

Yr Arglwydd yw fy MUGAIL. 'Na fo...

Ni BYDD eisiau arnaf...

Naci... Cofia be ddudis i; paid â phwysleisio geiriau dibwys... Eto!... Ni bydd EISIAU arnaf. Da iawn... caria mlaen.

Mae 'na ddau o bobol mewn oed yn y sêt fawr ar wahân i'r plant a'r pregethwr. William Owen Williams, Monfa, Llangefni, pregethwr cynorthwyol, a thaid y bachgen, ydi un ohonyn nhw, yn gwenu'n ddisgwylgar. Byddai Nain yr hogyn bach bob amser yn dweud, 'Tria fod fel dy Daid pan dyfi di fyny. Mae o'n *gentleman*', gan roi'r pwyslais ar y '*gentle*' bob tro.

Tad y bachgen ydi'r dyn arall. Gŵr o Gydweli yn wreiddiol. Codwr canu a thrysorydd y capel. Mae'r tad yn credu'n gryf fod dysgu geiriau ar eich cof yn ddisgyblaeth dda ac yn ymarfer buddiol. Yn ystwytho'r ymennydd ac yn hwyluso'r broses o ddysgu. Hwyrach mai dyna pam y bydd y bachgen bach ymhen saith deg mlynedd yn dal i allu rhestru enwau brodyr Joseff ar ei gof, fel un o sêr y radio ar y pryd, Lesley Welch the Memory Man.

RubenSimeonLefiaJudahIsacharZabulonaBenjaminDana NapthaliGadacAser. Mae'r tad yn gobeithio i'r nefoedd y bydd ei fab yn cofio'r adnodau i gyd. Ac mae'r mab yn gobeithio hynny hefyd oherwydd fe geith bishyn chwech am gyflawni'r orchest, a phishyn tair gan ei Daid.

Tydi hi ddim wedi bod yn wythnos dda o gwbwl i hogyn

bach saith oed sy'n gorfod dysgu pedair ar ddeg o adnodau ar ei gof. Mi fasa nhw'n haws i'w dysgu 'tasa nhw'n adrodd stori am y Mab Afradlon neu Naboth a'i Winllan, neu'r Samariad Trugarog. Ond does 'na ddim stori, dim ond geiriau yn cael eu hail-adrodd drosodd a throsodd. 'Yn y dechreuad yr oedd y Gair'.

Mae ei fam wedi esbonio iddo fo mai Iesu ydi'r Gair. Felly pam na fasa Ioan yn ei alw fo'n Iesu? A sut fedar Iesu fod yn y dechreuad gyda Duw, beth bynnag, a phawb yn gwybod nad oedd yna ddim byd yn y dechreuad efo Duw, achos Duw 'na'th greu pob peth. Ymhen miloedd o flynyddoedd y cafodd Iesu ei eni ym Methlehem Judea yn nyddiau Herod Frenin mewn preseb, wedi ei lapio mewn cadachau. Roedd o'n gwybod hynny achos roedd o wedi adrodd stori'r Doethion yn y capel cyn y Nadolig.

'Trwyddo ef y gwnaethpwyd pob peth, ac hebddo ef ni wnaethpwyd dim ar a wnaethpwyd. Ynddo ef yr oedd bywyd a'r bywyd oedd oleuni dynion. A'r goleuni sydd yn llewyrchu yn y tywyllwch, a'r tywyllwch nid oedd yn ei amgyffred.'

Hwnnw oedd y darn anodd. Y darn cymhleth. Fanno roedd o wedi baglu bob noson wrth ddysgu'r adnodau.

'Reit ta Hwal. Pan wyt ti'n barod ...'

Clywai lais ei fam fel tai'n sibrwd yn ei ben

'Paid â dechra'n syth bin. Aros am funud i greu chydig o awyrgylch. Edrycha i nghyfeiriad i y tu ôl i'r organ, a phan fydda i yn plygu fy mhen ar un ochor ac yn gwenu, dechreua di,'

Sefyll yn syth. Dwylo wrth fy ochor. Edrych draw ar Mam. Aros am y 'nòd'. Clywed y distawrwydd llethol. Pen Mam ar un ochor. Unrhyw funud rŵan... y wên... y nòd... oedi... cychwyn.

'Yn y dechreuad yr oedd y gair a'r gair oedd gyda Duw a Duw oedd y gair.'

Tydw'i ddim yn cofio ges i bishyn chwech ar ôl mynd adre. Ond dwi'n dal i gofio'r adnodau, ac yn sicir fy meddwl mai'r ddisgyblaeth lem o'u dysgu nhw a'u llefaru nhw yn y sêt fawr, a'r 'polish', oedd dechreuad popeth arall a ddilynodd ar ôl hynny.

1.

Yr Eryr a'r Golomen

Ar draws y dyffryn fe glywaf grawc y fran,
Er mod i'n ifanc fe'm llosgir yn y tân,
Mae'r eryr uwch fy mhen yn hofran yn y gwynt,
Mae'r gwaed yn c'ledu,
Marwolaeth ddaw ynghynt, marwolaeth ddaw ynghynt;
Oes, mae 'na eryr a ch'lomen ddof
Ac mae 'na drais a cham cyn cof

Addysg prifysgol, 'does gen i ddim mae'n wir
Ond dysgais ormod am fywyd, dyna'r gwir,
Does neb yn malio am y cyrff o dan eu traed,
A heno yn Fietnam mae bwled, bedd a gwaed,
bwled, bedd a gwaed;
Oes mae 'na eryr a ch'lomen ddof
Ac mae 'na drais a cham cyn cof

Oedd, roedd 'na harddwch yn nhywyll liw ei chroen,
Ble'r aeth yr harddwch, crebachwyd ef gan boen,
Cartrefi'n llosgi'n fflam a'r fam a'r plant yn fud,
Y tad yn gorff mewn ffos a'r bomio'n siglo'r crud,
y bomio'n siglo'r crud;
Oes mae 'na eryr a ch'lomen ddof
Ac mae 'na drais a cham cyn cof

Ti wleidydd dwl, yn dy wely plu,
Oni elli deimlo yr hyn a deimlaf i?
Nid gyda'th siarad gwag gelli di wneud y cam yn llai,
Ac arnat ti a'th debyg gyfaill mae y bai, gyfaill mae y bai;
Oes mae 'na eryr a ch'lomen ddof
Ac mae 'na drais a cham cyn cof.

Mae athrawon da yn werth y byd, ac athrawon sâl yn werth dim byd. Fe fues i'n ffodus iawn i gael mwy o athrawon y dosbarth cyntaf na'r ail. Yn yr Ysgol Gynradd, neu'r 'Ysgol British' fel roedd hi'n cael ei galw, ges i rai o'r goreuon. A'r gyntaf oedd Miss Robaitsh, Cefnpoeth.

Dwi'n ei chofio hi'n ddynes dal a main, â'i gwallt llwydwyn wedi ei dynnu'n dynn y tu ôl i'w phen. Coesau tenau tu mewn i sanau gwlân, tu mewn i bâr o esgidiau di-sawdl du, a chryman o drwyn miniog. Os welsoch chi luniau o Laurence Olivier neu Anthony Sher yn actio Richard y Trydydd – wel, dyna i chi ddarlun o Miss Robaitsh y Gyntaf.

'Tasa hi wedi pwyso yn erbyn wal y dosbarth a dechrau llefaru, 'Now is the winter of our discontent made glorious summer by this son of Yorke' – faswn i ddim wedi synnu.

Doedd hi ddim mor ddieflig â hynny, siŵr iawn; wedi'r cwbwl, hi ddysgodd i mi sgwennu ar ddarn o lechan, efo'r bensal yn gneud sŵn gwichian wrth fynd o un ochor i'r llechen i'r ochor arall yn creu geiriau am y tro cyntaf. 'Coch a mochyn', 'wy a mwy' a 'llwy a llo'. Gallwn ddisgrifio fy mlynyddoedd cynnar yn yr ysgol mewn pedwar gair – lot fawr o hwyl. Stompio efo paent, ymhell cyn i'r beirdd stompio rownd y wlad efo'u barddoniaeth.

Drws nesa roedd dosbarth Miss Wilias Benllech... 'Reit. Dowch i mi'ch clywed chi'n canu: Y mae afon a'i ffrydiau a lawenhânt ddinas Duw. Cofiwch ddi-i-nas Duw, nid ddi-hinas-Duw. Does 'na ddim "eitsh" yn y gair. Ac nid "dynas Duw" ydi o chwaith. Reit, ar ôl tri... Y-y-mae afon a'i ffrydiau a lawenhânt ddi-i-nas Duw. Da iawn. Gwell o lawar.'

Drws nesa wedyn roedd stafell Miss Morgan. Fe ddisgrifiodd Alan Llwyd y wiwer mewn tri gair, 'y bwten acrobatig'. Wel dyna Miss Morgan i'r dim. Pwten o ddynes. 'Power pack' ar ddwy goes, fel y gwningen binc yn yr hysbyseb batris sy'n mynd a mynd a mynd am byth.

Roedd Miss Morgan yn arbenigo ar wneud cadwyni allan o ddarnau o bapur lliw a gliw, ddim yn annhebyg i'r cadwyni ar

Bont y Borth, yr oedd 'holl longau y lli' yn mynd o danyn nhw. Yn wir, fe allai Miss Morgan fod wedi cyflwyno *Blue Peter*, y rhaglen deledu i blant, oni bai am y ffaith nad oedd teledu wedi cyrraedd Llangefni yn 1951. Fe ddaeth ym 1953, mewn pryd i ni weld y Frenhines yn cael ei choroni, ac Everest yn cael ei goncro.

Gyda llaw, doedd y gair 'teledu' ddim yn bod chwaith tan y flwyddyn honno, pan benderfynodd Golygydd *Y Cymro*, John Roberts Williams, ddaeth yn fòs arna i yn y BBC yn y chwedegau, gynnal cystadleuaeth i fathu gair am 'television'. A 'teledu' ddewiswyd. Dewis a siomodd un cynnig o dre'r Cofis yng Nghaernarfon, sef 'bocs stagio.'

Yn ddeg oed fe ddaeth fy nhaith drwy ddosbarthiadau'r Ysgol Gynradd i ben pan gyrhaeddais Standard Ffôr a dosbarth fy athro barddol cyntaf, Stephen Edwards. Oni bai iddo fo ysgrifennu englyn yn fy llyfr llofnodion cyn i mi adael yr Ysgol Gynradd am yr Ysgol Fawr faswn i ddim wedi cael gwahoddiad i ysgrifennu'r llyfr hwn am gefndir rhai o'r caneuon yr ydw i wedi eu sgwennu dros y blynyddoedd. I ble'r aeth y llyfr llofnodion, dwn i ddim. Ond mae'r englyn wedi ei serio ar fy nghof

> Swyn hudol, sain ehedydd – a glywn
> Yn glir ar foreddydd,
> Daear fad yn deor fydd
> A llwyni'n dai llawenydd.

Ar ôl copïo ei englyn i'r 'Gwanwyn' yn y llyfr, fe aeth drwyddo fesul gair yn esbonio'r sŵn arbennig yr oedd y geiriau'n eu creu, yn ogystal â'u hystyr – hudol a hedydd, swyn a sain, daear a deor, llwyni a llawenydd. Roedd rhoi'r englyn hwnnw yn fy llyfr fel rhoi goriad yn fy llaw. Goriad a fyddai'n agor cist ar ôl cist, flwyddyn ar ôl blwyddyn yn llawn o drysorau geiriol – englynion, cywyddau, penillion, cwpledi, telynegion – ac ambell i limrig. Mae'r oes wedi newid.

Y dyddiau yma 'da ni'n magu plant sy'n medru rhaffu geiriau caneuon rap (dw'i wrth fy modd efo rap, gyda llaw). Ond Duw â'n gwaredo, 'ni allwn ddianc' rhag y ffaith na fedran nhw ddim dyfynnu soned gan T.H. Parry Williams na thelyneg gan Cynan. Yng ngeiriau Gerallt Lloyd Owen, erbyn hyn 'Nintendo yw plentyndod.'

Ym 1954, yn ddeuddeg oed, dechreuais gadw dyddiadur. Nid o ddewis. Fy nhad benderfynodd fod yn rhaid i mi wneud er mwyn ymarfer ysgrifennu'n greadigol, a hynny mewn ysgrifen dddealladwy, yn y ddwy iaith bob yn eilddydd gan ddefnyddio fountain pen *Platinum* a photel o inc *Quink*. Yn nhermau fy nghynnyrch creadigol ysgrifenedig dros y blynyddoedd, fe allech chi ddadlau mai cadw'r dyddiaduron oedd fy nghomisiwn cynta.

Ar ôl te yn nhŷ Nain bûm yn gwrando ar Galw Gari Tryfan ar y radio. Heno euthum o gwmpas yn casglu at y genhadaeth. Y mae gennyf dŷ to gwellt bach wedi ei wneud o garbord ac mae pobol yn gallu rhoi pres ynddo drwy dwll yn y to... We played cowbois and Indians in the Dingle this afternoon after being to the cinema to see Hit the Trail for the Rio Grande, and afterwards we went to the woods to make bows and arrows... yn y farchnad heddiw roedd dyn wedi dyfod yr holl ffordd o Lundain i werthu llestri. Cefais waith ganddo yn rhoddi llestri yn daclus ar y shilffoedd a chefais swllt am wneud... It was a nice day, so we went for a long ride all the way from Llangefni to Benllech. It was six miles. We went swimming and I ate tomato sandwiches which my grandmother had made for me. Unfortunately they were very soggy because she had put them in a brown paper bag, and I had put them in the bag on the back of the bike, and left the bike out in the sun.

Roeddwn i dipyn fengach na Samuel Pepys yn dechrau ar fy nghampweithiau dyddiadurol. Ac oherwydd fy mod i'n gwybod y byddai'r cynnwys yn cael ei ddarllen gan fy mam, gan mai hi fyddai'n cywiro'r gwallau sillafu a'r gramadeg, doeddwn i byth yn ysgrifennu am 'gudd feddyliau'r galon' na 'chrwydriadau mynych hon' fel y gwnaeth Bridget Jones flynyddoedd yn ddiweddarach. Chwarae teg. Pa gyfrinachau oedd gan unig blentyn deuddeg oed, mewn trowsus byr, jyrsi las â pharting yn ei wallt i'w ddatgelu? Ar wahân ella i'r ffaith mod i wedi trio'n aflwyddiannus i smocio fy Woodbine gynta yng nghwt glo tŷ Nain pan oeddwn i yn unarddeg.

Yn yr ysgol fawr, Ysgol Gyfun Llangefni, y dechreuais i sgwennu o ddifrif, o dan ddylanwad fy athro Cymraeg yn y chweched dosbarth, Mr Dewi Lloyd. Gan fy mod yn un sy'n dueddol o orliwio, a mynd dros ben llestri yn emosiynol, yn enwedig wrth ddisgrifio gymaint yr oeddwn yn edmygu Dewi Lloyd, ceisiaf fod yn gymedrol a dweud mai y fo heb os oedd yr Athro Cymraeg gorau erioed gerddodd y blaned – unrhyw blaned. Dewi Maelor Lloyd. Gwallt arian wedi ei gribo'n daclus, siwt smart bob amser a llais fel medd.

Os mai Dan Jones, fy athro Saesneg yn y chweched dosbarth, gyda'i fwstash tenau fel siani flewog ifanc o dan ei drwyn oedd Clark Gable, yna Dewi Lloyd oedd Gregory Peck. Doedd o byth yn eistedd tu ôl i'r bwrdd o flaen y dosbarth ond yn hytrach ar y bwrdd efo'i draed i fyny ar gefn y gadair o'i flaen. Hyd yn oed yn ei ŵn du, edrychai'n cŵl. Roedd ganddo'r gallu i esbonio cerddi Beirdd yr Uchelwyr, a hynny mewn termau cyfoes oedd yn gwneud y cerddi'n ddealladwy. Cofiaf hyd heddiw ddadansoddiad Dewi Lloyd o gywydd Tudur Penllyn yn adrodd ei hanes yn mynd i briodas yn y Fflint.

'Chi'n gweld roedd Tudur yn fardd blin iawn. Nid yn unig roedd 'na brinder o win yn y wledd, ond roedd yr adloniant cerddorol hefyd yn ofnadwy. Un dyn, sef William Bibydd, oedd yn gyfrifol am y synau erchyll roedd ei fagbib a chraster ei ganu croch yn eu creu. Yng ngeiriau Tudur Penllyn:

> Chwythu o'r cranc, chwith fu'r cri,
> Chwyddo'r god a chroch weiddi,
> Roedd lleisiau yn y gau god
> Mal gwithi, mil o gathod.

'Nawr fe wn i'n iawn fod rhai ohonoch chi, Hywel Gwynfryn, yn mynd lawr ar fore Sadwrn i gaffi Penlan yn Llangefni i wrando ar Buddy Holly a Bill Haley a'r Comets ac Elvis Presley a Lonnie Donegan yn canu caneuon pop ar y jiwc bocs. Wel fe wnaeth Tudur Penllyn ddisgrifio'r jiwc bocs i'r dim flynyddoedd maith yn ôl fel "Lleisiau yn y gau god, mil o gathod yn gweiddi". Dyna ddisgrifiad perffaith o'r sŵn ofnadwy roedd William Bibydd yn ei greu hefyd.'

Do, fe fu Dewi Lloyd yn athro dylanwadol iawn. Byddai'n trefnu cyngherddau yn yr ysgol, ac yn gofyn i Derek Boote, fy ffrind pennaf, a finnau ysgrifennu caneuon ar gyfer y cyngherddau hynny. Un o'r caneuon poblogaidd ar y jiwc bocs ym 1958 pan oeddwn i'n un ar bymtheg oed oedd cân gan Hank Locklin 'It's a little more like heaven where you are'. Honno oedd y gân gyntaf i mi sgwennu geiriau Cymraeg iddi. Dwyn alaw Hank, heb ofyn iddo fo, a chyfansoddi geiriau Cymraeg i'r alaw honno, a Derek a finna'n eu canu nhw. Ble mae'r geiriau hynny erbyn hyn? Pwy sy'n gwybod? Pwy sydd eisiau gwybod? Neb am wn i. Ond mae 'na bennill a chytgan ar fy nghof o hyd. Cân serch oedd hi, wedi ei hysbrydoli gan fy nghariad yn yr ysgol ar y pryd.

Nefoedd ar y Ddaear

O rwy'n hoffi cân aderyn, yn hoffi llais y lli,
Ond gwell gen i yw geiriau mwyn y ferch a'm swynodd i,
Do mi welais ryfeddodau'r byd a chrwydrais yma a thraw,
Ond gwell gen i yw cwmni'r ferch sy'n gafael yn fy llaw.

Cytgan
Mae hi'n nefoedd ar y ddaear gyda thi,
Rwyt ti'n angel ac rwyf yn dy garu di.
Mae ei gwallt mor ddu â'r nos
A'i gwefusau fel y rhos
Mae hi'n nefoedd ar y ddaear gyda hi...

Ac yn y blaen. Mae gweddill y geiriau wedi diflannu ond mae'r cariad cyntaf o gwmpas o hyd.

Mae'n debyg mai'r gân gyntaf go iawn a ysgrifennais oedd cân i Meic Stevens – y gân gyntaf iddo ei recordio yn Gymraeg – 'Yr Eryr a'r Golomen'. Roedd Ruth Price, cynhyrchydd *Disc a Dawn* nôl yn chwedegau'r ganrif ddiwethaf, yn awyddus i roi cyfle i Meic, yn bennaf oherwydd ei fod o mor wahanol i'r 'cantorion dof a diniwed' oedd o gwmpas ar y pryd. Gofynnodd i'r swynwyr o Solfa ddod i'w gweld, ac mae yntau wedi cofnodi beth ddigwyddodd wedyn yn ei gyfrol *Hunangofiant y Brawd Houdini*.

'Daeth menyw o'r enw Ruth Price i gwrdd â fi a ngwahodd i i'w swyddfa, lle gwrandawon ni ar y caneuon oedd 'da fi. Wedyn fe wedodd wrth ei hysgrifenyddes "Cer i nôl Hywel." A wele'n llamu i'r stafell, ŵr ifanc tal iawn mewn siwt lwyd dda, crys pinc, a thei blodeuog.'

'Dyma Hywel Gwynfryn' medde Ruth 'Fe wneith e gyfieithu dy ganeuon di.'

'A dyma Gwynfryn, oedd yn eitha newydd i'r BBC, yn gwenu o glust i glust 'da'r wên ddantrwth 'na. A ro'n i'n gwbod yn syth y bydden ni'n cyd-dynnu.'

A gwir y gair – 'Byw yn y Wlad', 'Heddiw Ddoe a Fory', 'Y Fo' – cân i'r Bara Menyn, y grŵp a ffurfiodd Meic gyda Heather Jones a Geraint Jarman. Ond 'Yr Eryr a'r Golomen' oedd y gyntaf. 'The Eagle and the Dove' oedd ei theitl hi'n wreiddiol – cân brotest yn erbyn y rhyfel yn Fietnam.

Cyn mynd ati i addasu geiriau gwreiddiol Meic, dwi'n cofio edrych ar gasgliad o luniau mewn papur newydd, oedd wedi eu tynnu yn ystod y rhyfel gan ffotograffydd enwog Don McCullin o'r brwydro a'i ganlyniadau erchyll. Cyrff yn gelain, plant wedi eu llosgi, a phentrefi cyfan wedi eu dinistrio gan y bomio di-baid. Ac ymgais yw geiriau'r gân i ail-greu rhai o'r lluniau hynny mewn geiriau a rheiny'n eiriau y mae Meic yn eu canu ar ran gŵr a thad yn Fietnam sy'n gorwedd, wedi ei anafu, yng nghanol adfail yr adeilad bregus oedd unwaith yn gartref iddo, tra mae'r 'bomio'n siglo'r crud'.

2.
Ħaul yr Ħaf

Ti oedd haul yr haf, o mor braf oedd ein byd,
Yn dy gwmni roedd bywyd yn haf ar ei hyd,
Ac i mi, ti oedd y gân, fflam y tân oeddet ti,
Mor braf oedd y teimlad, a'r cariad mor gry'.

Nawr daw'r atgofion yn eu hôl, heno drwy'r glaw,
Rwy'n dyheu am dy gwmni, ond ddoe eto ni ddaw.

Ac i mi ti oedd y gân, fflam y tân oeddet ti,
Heb y tân does dim gobaith na chysur i mi,
Oer yw fy mywyd heb dy gwmni, gwag yw fy myd,
Drwy y poen daw'r atgofion ataf o hyd.
Rwy'n dal i'th deimlo di,
I'th deimlo di,
I'th deimlo di
Ymhob man.

Ym 1977 y ganwyd Radio Cymru, ac fe ges i'r fraint o eistedd ar y garreg filltir honno a chyflwyno sioe frecwast i'r gwrandawyr o gwmpas bwrdd y BBC sef y Bwrdd Brecwast Cynnar am ddeuddeng mlynedd. Dyna un o gyfnodau hapusa fy mywyd i. *Helo Bobol* oedd enw'r rhaglen honno ac fe'm disgrifiwyd gan y Prifardd Dic Jones, neb llai, fel:

> Dwy lath o ddireidi a lol,
> Wele Bab *Hylo Bobol*.

Roedd enw'r rhaglen, efo'r 'Hylo' yn y teitl, yn fy nghysylltu gyda rhaglen yr oeddwn i wedi ei chyflwyno am ddeng mlynedd ar fore Sadwrn, y rhaglen bop Gymraeg gyntaf ar y radio, *Hylo! Sut 'da Chi*, ac yn y rhaglen honno yr oedd gwreiddiau'r 'direidi a'r lol'. Cymysgedd oedd hi o ganeuon pop y dydd, ac roedd rheini'n brin iawn ar y pryd, ac ychydig o rwdlan geiriol adeiladol. Gareth Lloyd Williams oedd y cynhyrchydd, ac roeddan ni'n dau yn cytuno fod angen i ieithwedd y rhaglen fod mor gyfoes â phosib heb fod yn sathredig. Siarad efo'r gynulleidfa ac nid siarad atyn nhw. Dyna pam yr oedden ni'n sôn ar y rhaglen am anfon 'gwefr i lawr y gwifrau' ac am 'hys-bys', ac nid hysbyseb.

Fe wyddem ein bod ni wedi llwyddo pan ymddangosodd llythyr yn *Y Faner* gan Iorwerth Peate yn condemnio'n polisi ieithyddol, yn enwedig y defnydd o 'hys-bys'. Ychwanegodd ar ddiwedd ei lythyr hirwyntog,

> Hysbys y dengys dyn
> O ba radd y bo'i wreiddyn.

Os cofiaf y iawn roedd 'na sgetsh ddychanol ar y rhaglen yr wythnos ganlynol am dri cowboi Cymreig, Whistling Ffowc Ellis, Calamity Kate Roberts, John Waynefawr. Ac wrth gwrs, Mecsican Peate.

Tua'r un adeg fe ymddangosodd llythyr yn *Y Cymro* o dan y pennawd 'Guru'r Geiriau'. Roedd hi'n amlwg fod y llythyrwr, yn wahanol i'r academig, yn deall i'r dim mai cael hwyl gyda'r Gymraeg oedd ein bwriad, a rhoi brechiad yn ei braich. Gyda llaw, fe allai'r llythyrwr fod wedi cyfeirio ataf fel 'Gŵr y Geiriau'. Ond roedd cyfeirio at y 'Guru' yn dangos ei fod yn llythyrwr creadigol tafod-ym-moch. Ddau fis ynghynt roedd y Beatles wedi dod i Fangor i gyfarfod â'r Maharishi Mahesh Yogi. Am gyfnod fo oedd eu hathro nhw, neu eu 'Guru', os mynnwch chi.

Yn ôl siartiau pop *Y Cymro*, dyma oedd y deg uchaf yng Nghymru ym mis Hydref '68, yn cael eu darllen i gefndir cerddorol Booker T. and the MG's:

10. Elen. Hogia Llandegai
9. Ynys yr Hud. Y Gemau
8. Dacw'r Ardal. Dafydd Edwards
7. Mor Fawr Wyt Ti. Hogia Bryngwran
6. Cymru'r Canu Pop. Huw Jones
5 Rhywbeth Syml. Edward a Mary Hopkin
4. Can y Medd. Dafydd Iwan
3. Eiliad i Wybod. Y Pelydrau
2. Mae Pob Awr. Mary Hopkin
1. Un Dau Tri. Tony ac Aloma.

Roedd y grŵp roc Y Blew wedi creu dipyn o stŵr y flwyddyn cynt ym Mhabell Lên Eisteddfod y Bala, ond doedd 'na ddim golwg ohonyn nhw yn y siartiau. Yng Nghymru 1968 y caneuon neis, sidêt oedd yn apelio. Yn wir, ar wahân i'r Blew, dim ond caneuon felly oedd ar gael i mi eu chwarae ar y rhaglen. Hynny yn gymysg â'r rwdlan geiriol oedd o leia yn rhoi gwên ar wyneb y genedl dros hanner can mlynedd yn ôl. Ac yn anffodus i chi mae rhai o'r 'perlau' ar fy nghof o hyd.

Teyrnged i Syr John Morris Jones

Tair llygad disglair fel tair gem
Sydd i'm hanwylyd Maude,
Mae'n gallu gweld i lle mae'n mynd
A lle mae'i wedi bod

Teyrnged i Hogia'r Wyddfa

Nyni yw Hogia'r Wyddfa, sy'n gwneud sŵn Gwdi-hŵ,
Fe ddaethom ni yn bell o wneud sŵn Cwac, Mê Mê Mŵ Mŵ,
A chredwch ni, mae gwneud sŵn owl
Yn joban anodd ar y...
Tŵ Whit Tŵ Whŵ.

Cwestiynau Pwysig

Oedd y bardd Siôn Cent yn byw yn Surrey?
Ydi hi'n bosib i reithgor ddyfarnu pysgodyn yn eog?
Ai doctor anhapus ydi psychaia-trist?

Chwaraeon

Y sgôr terfynol yn y gêm rhwng Anthem Cymru ac
Anthem Lloegr oedd
God Save the Q un, Hen Wlad fy Nhad 2.

Beth ydi ystyr...

Arabedd... Lle i gladdu arab.
Bedouin... Ffurf ar gwestiwn.
Er enghraifft 'Hei. Bedouin neud nesa?

Cnoc Cnoc.

Pwy sy' na? Mathonwy. Mathonwy pwy? Math o nwy ydi gas?

Os fedrwch chi stopio chwerthin am funud, fe hoffwn esbonio fod y perlau uchod a'r rhaglen *Hylo Sut 'da Chi*, yn ôl cyfrol feistrolgar Hefin Wyn *Be Bop a Lula'r Delyn Aur*, sy'n olrhain blynyddoedd cynnar canu poblogaidd Cymraeg, 'yn wrando angenrheidiol i filoedd o ieuenctid'. Wel, cannoedd o leia! Mae nifer ohonyn nhw erbyn hyn yn Neiniau ac yn Deidiau ac yn dal i chwerthin pan dwi'n ailgylchu'r defnydd ar fy rhaglen bnawn Sul! Ond beth oedd yn bwysicach, ac yn ffodus i mi, oedd fod Ruth Price wedi clywed y rhaglen.

Ar ôl i Meredydd Ifans sefydlu Adran Adloniant Ysgafn y BBC yng Nghaerdydd ddechrau'r Chwedegau, fe benodwyd Ruth yn brif gynhyrchydd o dan ei adain o. Hi oedd Simon Cowell – neu'n hytrach Simone Cowell – ei dydd, yn gyfrifol am ddod â thalentau cerddorol i'r sgrîn am y tro cyntaf ar raglenni fel *Hob y Deri Dando* a *Disc a Dawn*, y rhaglen bop Gymraeg gyntaf ar y teledu yng nghanol y chwedegau.

Mae gen i le i ddiolch i Ruth am roi cyfle i mi gyfieithu caneuon yn wythnosol ar gyfer *Disc a Dawn*, a thrwy hynny feithrin y grefft o drafod geiriau ar bapur, yn ogystal â thrwy'r meicroffon ar fy rhaglen radio ar fore Sadwrn. Roedd Endaf Emlyn hefyd yn aelod o dîm bychan ohonon ni oedd yn gwrando ar siartiau Lloegr ar fore Llun ac yn mynd ati wedyn i gyfieithu'r caneuon y byddai Ruth am eu clywed yn Gymraeg ar *Disc a Dawn* yn ystod yr wythnosau canlynol.

Byddai Ruth a Meredydd Ifans yn enwedig, yn disgwyl fod pob unigolyn a grŵp wedi dysgu'r geiriau ar eu cof cyn dŵad i'r stiwdio. Gwae neb fyddai'n ceisio osgoi eu dysgu drwy eu hysgrifennu ar wddw'r gitâr neu ar gefn llaw. Y pechaduriaid mwyaf oedd un o ddeuawdau mwyaf poblogaidd Cymru ar y pryd, Aled a Reg. Yn ôl yr hanes, roedd Merêd yn gwylio'r ymarfer ar set deledu yn y stiwdio tra roedd y rhaglen yn cael ei recordio ac wedi cael ei swyno gan y ffordd roedd Aled yn canu mor emosiynol ac yn plygu ei ben fel 'tae o dan deimlad. Ond mewn gwirionedd roedd o'n plygu ei ben er mwyn craffu ar eiriau'r gân wedi eu sgwennu ar dafod lledr y sgidia 'slip-on' yr oedd o'n eu gwisgo ar y pryd. Wel dyna'r stori beth bynnag.

Weithiau wrth geisio cyfieithu geiriau rhyw hen gân bop neu'i gilydd byddai'r awen yn styfnigo a'r odlau yn cuddio a'r cyfieithiad yn llafurus. Cofiaf mai fy ngwaith cartref un wythnos oedd cyfieithu 'Amazing Grace' er mwyn i Iris Williams ei recordio. Fedra'i ddim cofio bellach, hanner can mlynedd a mwy yn ôl, sut yr es i ati i gyfieithu geiriau John Newton, a sgwennwyd yn y ddeunawfed ganrif. Ond mae'r broses yr un fath bob tro. Darllen y gerdd drwyddi i wneud yn siŵr 'mod i'n ei deall hi. Ei darllen hi allan yn uchel a siarad efo fi fy hun yn ystod y broses. Yna dechra yn y dechra.

Amazing Grace
How sweet the sound
That saved a wretch like me,
I once was lost, but now I'm found,
Was blind, but now I see.

Sylwi fod 'Was blind, but now I see' yn llinell chwe sillaf, a bod 'Yn ddall, ond nawr rwy'n gweld' yn gyfieithiad cywir. Dechra da. Ond ddim mor dda â hynny. Fe fydd yn rhaid i mi odli 'gweld'. Problem. Yn ôl yr *Odliadur* dim ond un gair yn yr iaith Gymraeg sy'n odli gyda 'gweld', a 'seld' ydi'r gair hwnnw. Ac mae T.H. Parry Williams wedi bod yno o mlaen i wrth ddisgrifio'r iaith Gymraeg:

Cei ganmol hon, fel canmol jwg ar seld,
Ond gwna hi'n hanfod, ac fe gei di weld.

Reit! Nôl i ddechrau'r pennill. 'Amazing Grace'. Codi nghalon. Mae 'Anhygoel' yn ffitio a 'grace' ydi 'gras'. Felly 'Anhygoel ras'. Ddim cystal â'r gwreiddiol. 'Anfeidrol' yn lle 'anhygoel'. Emyn i Dduw ydi hwn ac mae o'n 'Anfeidrol'. Felly 'Anfeidrol ras' sy'n mynd â hi. Wel, dyna ddechra. Awr yn ddiweddarach, ac mae 'na ddau air yn eu lle. Oriau yn ddiweddarach, ac mae'r pennill cyntaf wedi ei gwblhau. Sdim golwg o'r 'wretch', a dwi wedi llwyddo i osgoi gorfod odli 'gweld'.

Anfeidrol ras, mor felys yw,
Achubodd un fel fi,
Fe fûm ar goll, ond nawr rwy'n gweld
Drwy rym dy gariad di.

Ar ôl ymgodymu am oriau gyda geiriau John Newton roedd yn rhaid i mi gyfaddef fod 'Amazing Grace' wedi fy llorio'n llwyr. Roedd angen bardd go iawn i wneud tegwch â'r geiriau, a doedd Tudur Dylan ddim ar gael ar y pryd. (Mae ei gyfieithiad o o'r sioe *Les Misérables*, gyda llaw, yn orchestol.) Draw â mi y bore canlynol, gyda fy ymgais ddi-werth ar ddarn o bapur i swyddfa Ruth.

'Wel,' meddai Ruth, 'sut a'th hi?'

'Ddim yn dda iawn. Roedd hi'n haws o lawer cyfieithu caneuon Lonnie Donegan.'

'Mae'n siwr. Paid â phoeni. Wi wedi penderfynu rhoi'r job i rywun arall ta beth.'

Gwelwn ffynnon ariannol cyfieithu caneuon yn sychu o flaen fy llygaid.

'O,' meddwn i, yn teimlo'n fethiant llwyr, 'a phwy sy'n mynd i'w chyfieithu hi felly?'

'Dwi ddim yn meddwl dy fod ti wedi clywed amdano,' meddai Ruth, â gwên fechan ddireidus ar ei hwyneb. 'William Williams Pantycelyn.'

Fel yr esboniodd wrtha'i wedyn, roedd hithau hefyd wedi edrych ar y geiriau, ac yn wahanol iawn i mi, wedi cael gweledigaeth. A thra roeddwn i 'mewn anial dir, yn crwydro yma a thraw', roedd Ruth wedi sylweddoli fod yr ateb gan yr emynydd 'mwyaf mawr erioed a glywyd sôn.' A dyna sut y daeth 'Pererin Wyf' ag amlygrwydd i Iris Williams. Mae dehongliad Iris yn anfon ias i lawr y cefn a'r briodas rhwng y geiriau a'r alaw yn berffaith.

Cyd-ddigwyddiad llwyr oedd hi fod Iris a Ruth wedi cyfarfod. Y stori ydi fod Iris wedi hebrwng ei ffrind i glyweliadau yr oedd Ruth yn eu cynnal tra'n chwilio am dalentau cerddorol ar gyfer *Disc a Dawn*. Roedd y ferch wedi dod â gitâr efo hi. Ac yn ystod toriad am ginio fe sylwodd Ruth fod gan Iris gitâr hefyd, a gofynnodd iddi hi ganu. Canlyniad hynny oedd fod Iris yn hytrach na'i ffrind wedi llwyddo i gael lle ar *Disc a Dawn*, lle canwyd 'Pererin Wyf' am y tro cyntaf.

Roedd Iris wedi cael ei meithrin gan deulu o Dongwynlais. Yn ferch ifanc aeth i weithio i ffatri gwneud menig yn Llantrisant. A phan gaewyd y ffatri, fe enillodd ysgoloriaeth i Goleg Cerdd a Drama Caerdydd. A dyna oedd cychwyn ei thaith deledu o stiwdio *Disc a Dawn* i neuaddau America lle bu'n rhannu llwyfan gyda Bob Hope a Rosemary Clooney. Erbyn heddiw mae hi'n byw yn Efrog Newydd ac yn canu cabaret, ond mae hi'n dychwelyd i Gymru weithiau. Ac ar ei hymweliad diwethaf fe ymddangosodd ar raglen *Deuawdau* Rhys Meirion, a chanu geiriau yr oeddwn i wedi eu cyfansoddi i gofio am ffrind mawr i mi o ddyddiau coleg, Geraint Morris.

Roedd yna dri ohonom wastad efo'n gilydd, Geraint a finna a Derek Boote. Arth fawr gynnes garedig o hogyn oedd Derek, ac yn gerddor heb ei ail. Mae ei chwarae medrus ar y bas dwbwl i'w glywed ar recordiau'r rhan fwyaf o sêr canu pop y cyfnod cynnar. Roedd ganddo amseriad perffaith, ac roedd clywed nodyn lleisiol neu offerynnol allan o diwn yn anathema llwyr iddo. Fo sy'n chwarae ar holl ganeuon Y Triban, y grŵp oedd yn pledio 'Paid â Dodi Dadi ar y Dôl', yn canu clodydd 'Y tŷ bach twt ym mhendraw'r ardd' ac yn gweld 'Llwch y bore yn y ddinas.'

Dwi'n cofio mynd gyda Derek a'r triawd draw i stiwdios enwog Rockfield yn Nhrefynwy lle recordiodd Queen 'Bohemian Rhapsody', i recordio rhai o ganeuon Y Triban. Ar ôl cyrraedd a dechrau recordio fe ddaethpwyd i'r casgliad fod angen recordio cân arall. Wrth lwc roedd yna alaw, ond doedd 'na ddim geiriau. Felly tra roedd y Triban a Derek yn cario 'mlaen i recordio, fe eisteddais innau yng nghefn y car a chyfansoddi 'Trên i Dristwch' gan ddilyn cyfarwyddyd Derek, 'Cadwa hi'n syml. Fi sy'n ei chanu hi.'

Fel y dwedodd y Dywysoges Diana flynyddoedd yn ddiweddarach, 'roedd 'na dri yn y berthynas hon'. A'r trydydd ffrind coleg oedd Geraint Morris. Fe fu Geraint yn gweithio am flynyddoedd ym myd teledu yn Llundain, a fo oedd y gyfrifol am sefydlu cyfresi fel *Casualty*, *The Bill*, *Juliet Bravo*, *The Onedin Line* a *Softly Softly* yn ystod cyfnod cynnar arloesol teledu'r BBC yn Llundain. Yn y pen draw fe ddychwelodd i Gymru, pan gafodd ei benodi yn Bennaeth Drama HTV.

Fe fu'n ddigon call i briodi Siân, ac ar ymweliad â'u cartre ar ddiwrnod poeth o haf, pan oedd Geraint yn wael iawn, y daeth y syniad am gân y byddai Iris yn ei chanu gyda Rhys Meirion. Pan alwais i heibio roedd Geraint yn yr ardd yn tocio rhosynnau. Ac fe esboniodd Siân fod y morffin roedd o'n gymeryd yn lleddfu poen y canser, ond fod y diwedd yn agosáu.

Ar y ffordd adref, ceisiais ddychmygu sut fyddai bywyd i Siân ar ôl colli Ger. Ac mae Iris yn canu geiriau sydd yn ymgais i geisio rhag-fynegi teimladau Siân. Yr alaw yw 'Cavatina' o'r ffilm *The Deer Hunter*. Ac fe ganodd Iris y geiriau Saesneg ar yr alaw hefyd – 'He was Beautiful'. Yn y fersiwn Gymraeg, ceisio cyfieithu teimlad y gân wnes i. Iris sy'n canu. Ond Siân sy'n siarad.

3.

Melltith ar y Nyth

Fi yw Efnisien,
Fe gewch chi wybod pam,
Fe'm rhwygwyd i, un noson ddu,
Mewn gwaed o groth fy mam;
Fi yw Efnisien, blas chwerw yn fy ngheg,
Ches i rioed air o gariad, dim ond poer a rheg.

A phan mae gwynt yr hydref yn saethu drwy fy nghroen
Rwy'n teimlo'r boen.

Fi yw Efnisien, y cur tu mewn i'r pen,
Yr hunlle yn lle'r freuddwyd,
Y pry tu mewn i'r pren;
Fi yw Tywysog Nos, un o blant y fall,
Yr hanner brawd sy'n hanner dyn a dim ond hanner call.

Ond pan mae haul yr hydref drwy frigau'r coed yn befr,
Rwy'n teimlo'r wefr;
Fi yw Efnisien – roedd rhaid i rywun fod.

Dwi'n cofio gweld y groes yn codi'n araf araf o'r tywyllwch islaw i bwll o olau uwchben. Croes o blastig trwchus a gwaed y Crist croeshoeliedig yn llifo drwyddi fel afon goch. Yn y cefndir, tra roedd y groes yn codi o'r llwyfan, clywid y corws yn cyd-ganu thema'r sioe gerdd *Jesus Christ Superstar*.

Dechrau'r saithdegau oedd hi, yn Theatr y Palas yn Llundain. Roedd Tim Rice ac Andrew Lloyd Webber wedi cynhyrchu albwm o'r caneuon cyn i'r sioe gyrraedd y theatr yn 1972. Mae'n anodd credu, ddeugain mlynedd yn ddiweddarach, fod y syniad o ddehongli'r wythnosau olaf ym mywyd Crist drwy gyfrwng caneuon pop a cherddoriaeth y siartiau yn brofiad anghyfforddus. Gwylio Herod yn dawnsio'n bryfoclyd o amgylch Crist gan ei watwar yn bryfoclyd gyda'r geiriau:

> If you are the Christ, the great Jesus Christ,
> Prove to me that you're no fool,
> Walk across my swimming pool;
> Do this for me, and I'll let you go free,
> Come on King of the Jews

Ar ôl gwrando ar yr albwm, a'i chwarae nes oedd hi'n dwll bron, a gweld y sioe ddwywaith yn Llundain roeddwn i wedi fy nghyfareddu, ac yn wir wedi meddwl am drosi'r geiriau i'r Gymraeg:

> Ti yw'r Crist, gwir Fab Duw
> Ti yw yr un ddaeth o farw'n fyw.

Ond es i ddim llawer pellach na hynny... nes y daeth Yr Alwad. Nid oddi fry ond oddi wrth y BBC. Fe ofynnodd rhywun i Irving Berlin, y cyfansoddwr Americanaidd na fu ei debyg am sgwennu caneuon cofiadwy ('Alexander's Ragtime Band', 'Let's face the music and Dance', 'Putting on the Ritz'),

'What comes first Mr Berlin, the words or the music?'

A'i ateb?

'The phone call!'

Yr Alwad. Gwir y gair, Irving. Nid llif y gerddoriaeth na grym y gair ond yr alwad ffôn. Oherwydd mae 'na bosibilrwydd fod galwad gan gynhyrchydd yn golygu gwaith. A gwaith yn golygu arian. Ac yn 1974 fe ges i'r alwad gan un o gynhyrchwyr *Disc a Dawn*, Rhydderch Jones. Yr hyn sy'n gyd-ddigwyddiad rhyfedd yw bod Rhydderch, ar y pryd, wedi cyfieithu un o ganeuon *Jesus Christ Superstar*, cân Mair Magdalen, 'I don't know how to love him', i'w chanu ar *Disc a Dawn*. Hwyrach ei fod o wedi clywed 'mod innau wedi bod yn potsian yn eiriol efo geiriau Tim Rice, ac eisiau comisiynu fersiwn Gymraeg o sioe Lloyd Webber a Rice.

Ddim yn hollol. Oedd, roedd o am gomisiynu opera roc – ond stori Branwen o'r Mabinogion oedd ganddo fo mewn golwg, efo fi ac Endaf Emlyn yn chwarae rhannau Andrew Lloyd Webber a Tim Rice. Roedden ni'n dau yn nabod ein gilydd o ddyddiau coleg yn y chwedegau, ac yn wir wedi bod yn perfformio efo'n gilydd o flaen sawl cymdeithas capel yn y ddinas, Endaf yn canu caneuon ar ei gitâr a finna'n darllen ychydig o farddoniaeth...

'I ble yr ei di fab y fföedigaeth, a'th gar salŵn yn hymian ar y rhiw a lludded yn dy lygaid...', ac yn y blaen.

Mae enw Endaf Emlyn yn gyfystyr â dweud 'Siân Owen Ty'n y Fawnog', 'Macrell wedi ffrio', 'Madryn', 'Bandit yr Andes', 'Shanghai', 'Syrffio mewn cariad' a Tony Hatch. Ia, Tony Hatch. Y dyn gyfansoddodd 'Down Town' i Petula Clark.

Drwy gwmni Tony Hatch y recordiodd Endaf ei sengl gyntaf ar label *Parlophone*, yn Abbey Road, Stiwdios y Beatles. 'Paper Chains' ar un ochor a 'Madryn' ar yr ochor arall. Dyna i chi gyferbyniad. Fel 'tae Elvis Presley yn rhyddhau sengl yn cynnwys 'Hound Dog' ar un ochor a geiriau 'Llanc Ifanc o Lŷn' ar Gerdd Dant ar yr ochor arall.

Ond o'r cychwyn fe dorrodd y llanc o Bwllheli ei gŵys ei hun a phrofi ei fod yn gerddor wrth reddf, ac yn saer geiriau gyda'r gorau. Fe brofodd hynny o'r cychwyn pan ryddhawyd ei record hir gyntaf *Hiraeth* ym 1972. Ac mae ei gân hiraethus am

Fadryn oddi ar yr albwm hwnnw yn dal i gyffwrdd â'r galon hanner can mlynedd yn ddiweddarach. Dyma ail bennill y gân a gafodd ddylanwad mawr arna i cyn mynd ati i gydweithio gydag Endaf:

> Sŵn y gwynt yn llawn o law – a'r nos yn hir,
> Breichiau'r coed yn chwipio'r lloer – a'r haf a fu.
> Eira draw'n Eryri, a'r harbwr mawr dan rew
> A'r môr a'i fryd ar ddwyn Pwllheli.
> Oer yw muriau Madryn a'r Plas ar gau,
> Brigau'r coed dan farrug gwyn fel esgyrn brau,
> Cwmwl ar y gorwel yn agosáu
> A'r gwynt a'r glaw ym Madryn yn galw arnaf fi.

Fe allai Endaf fod wedi sgwennu'r gerddoriaeth a'r geiriau, ond diolch i'r drefn wnaeth Rhydderch ddim ystyried y posibilrwydd hwnnw. A dwy flynedd ar ôl recordio'r geiriau gwych hynny fe ddaeth Yr Alwad. Hynny oherwydd ein bod ni'n dau wedi bod yn cyfieithu caneuon pop i Ruth Price, ar gyfer *Disc a Dawn*.

'Haia Hyw.'

'Helo Rhýdd.'

Rhýdd oedd Rhydderch Jones. Sigarét yn wastadol yn ei geg. Neu i fod yn fanwl gywir yn glynu wrth ei wefus isa'. Ac i gwblhau'r darlun, os fedrwch chi ddychmygu wyneb crwn a gwallt cyrliog Dylan Thomas, dyna Rhydderch i'r dim. Ffrind mawr i Ryan Davies a'r dramodydd Gwenlyn Parry, ac fe ddaeth y tri at ei gilydd gyda Guto Roberts i greu un o'r cyfresi mwyaf llwyddiannus welwyd erioed ar deledu Cymraeg, *Fo a Fe*.

'Gwranda Hyw. Dw'i 'di cal syniad. Dw'i isio i chdi ac Endaf Emlyn sgwennu opera roc am y Mabinogion. OK? Gawn ni sgwrs.'

A dyna hi. Yr alwad ffôn. Nôl â fi i ben yr ysgol lle roeddwn i wrthi'n peintio pan ddaeth yr alwad. Nôl i beintio a meddwl a pheintio bob yn ail. Roedd *Jesus Christ Superstar* yn dal ar fy meddwl i. Ond roedd Rhydderch eisiau gwaith gwreiddiol. Oedd. Ond roedd angen rhoi cot o baent ar yr hen stori. Bendigeidfran – y cawr. Siwpyrstar y Mabinogi, mewn clogyn du a'i drôns tu allan i'w drowsus, fel y siwpyrhiro Batman. Branwen, yn edrych mor rhywiol â Jane Fonda yn y ffilm *Barbarella* oedd yn y sinemâu'r flwyddyn honno. Yn lle B am Barbarella, B am Branwen mewn coch ar grys T gwyn, pâr o jîns tynn hefyd a Doc Martens.

Ddwy flynedd yn gynharach ym 1972 roedd y ffilm *The Godfather* wedi ei rhyddhau. Gallwn weld Efnisien fel un o'r Maffia gorffwyll, yn saethu pawb a phopeth gan gynnwys ceffyl neu ddau. Tydw'i ddim yn cofio rŵan faint o'r syniadau yma wnes i eu rhannu gydag Endaf, ond yn sicr fe aethon nhw o gwmpas fy mhen i ddwywaith neu dair. Ac roedden ni'n dau yn gytûn fod angen i Branwen fod yn rhywiol, a bod Bendigeidfran yn ychwanegol at y trôns tu allan i'r trowsus hefyd yn gwisgo crys T efo'r gair 'SIWPYRBENDI' ar y tu blaen ac 'A fo Ben bid Bont' ar y cefn.

Eisteddodd Rhydderch y tu ôl i'w ddesg a'i geg ar agor yn rhythu arnom mewn anghrediniaeth llwyr tra'n gwrando arnon ni'n dau yn esbonio sut yr oeddem yn bwriadu moderneiddio'r stori. Fyddai hi ddim yn weddus i mi ddyfynnu'r union eiriau a ebychodd Rhydderch ar ôl i ni gyflwyno ein syniadau cyn mynd ati i ddarnio'n hawgrymiadau yn rhacs a'n rhybuddio ni i gadw at y llwybr cul, traddodiadol Mabinogol – 'Dim blondan, dim siwpyrbendi, dim trôns tu allan i unrhyw drowsus, a dim gangstyrs.' I ddyfynnu Ryan yn y gyfres *Fo a Fe*, 'Nefyr in Iwrop, gwd bois.' Ac felly y bu.

Fe es i ati i ysgrifennu geiriau a'u hanfon nhw draw ar gasét bychan i Endaf a fynta wedyn yn eu hanfon nhw'n ôl ata i yn ganeuon gorffenedig wedi eu recordio, ac yn barod i Gillian Elisa, Dewi Pws, Robin Gruffydd a Dafydd Hywel eu perfformio. Does yna ddim dwywaith y byddem ni heddiw yn ysgrifennu mwy o ganeuon ac yn ymestyn hyd y gwaith a gyfansoddwyd bryd hynny. Ond roedd yn rhaid cadw o fewn terfynau amser teledu a chyfansoddi sioe awr o hyd.

Roeddwn i'n dweud yn gynharach fod geiriau'r albwm gynta recordiodd Endaf wedi bod yn ddylanwad mawr arna'i. Yn ei gân am Fadryn mae o'n sôn am y 'llafn o haul yng nghoed Nanhoron', ac mae Efnisien yn cyfeirio at 'haul yr hydref drwy frigau'r coed yn befr'. Mae 'Madryn' yn llawn cyseinedd – 'brigau'r coed fel esgyrn brau', 'oer yw muriau Madryn', 'eira ar Eryri'. Ac felly cân Efnisien hefyd, 'gwaed o groth fy mam', 'yr hunlle yn lle'r freuddwyd', 'y pry tu mewn i'r pren'.

Cyd-ddigwyddiad efallai, ond dwi'n hapus i gydnabod fod y dylanwad yno yn yr isymwybod. Ac yn wir mae dylanwad Endaf ar eiriau cân Efnisien yn ddyfnach na hynny. Fedrwn i yn fy myw â meddwl am linell i gloi'r gân, felly fe awgrymais wrth Endaf y gallai'r gân orffen yn hofran yn yr awyr fel petai gydag Efnisien yn gweiddi'n fygythiol, 'Fi yw Efnisien!'.

Ymhen ychydig ddyddiau anfonodd Endaf y gân yn ôl er mwyn i mi gael gwrando arni. A bellach roedd yna linell glo i'r gân. 'Fi yw Efnisien. Roedd rhaid i rywun fod.' I ddyfynnu Edward G. Robinson oedd yn giamstar am chwara' gangstyrs yn y sinema, 'Somebody's gotta be the bad guy.' Dyna oedd tynged Efnisien, a dyna un o linellau gorau'r gân.

Dychmygol ydi'r gân yma wrth gwrs, ar wahân i un ffaith. Fe gafodd fy mam dipyn o waith fy ngeni i, ac yn y pendraw fe'm llusgwyd i mewn i'r byd gerfydd fy nhraed. A heb i mi fanylu, roedd hi'n enedigaeth waedlyd iawn. Ac felly roeddwn i'n dychmygu genedigaeth Efnisien hefyd. Ond rydw i wedi bod yn lwcus ac wedi glanio ar fy nhraed byth ers hynny!

Dyma ddwy gân arall o'r sioe, yn cael eu canu gan Branwen. Yn 1813, fe ddarganfuwyd bedd ar lan afon Alaw yn Sir Fôn, ac yn ôl un dyfyniad o lyfr am hanes cynnar Môn:

'The appearance of the grave and its remarkable locality, led to the inference that it might indeed be the "Bedd Petryal" in which according to the text her sorrowing companions deposited the remains of the unfortunate heroine of the Mabinogion.'

Tu Draw i'r Byd a'i Boen

Tu draw i'r byd a'i boen, tu draw i'r loes a'r cur,
Tu hwnt i'r sêr mae lle i'w gael tu mewn i'r freuddwyd hir.
Does neb a ŵyr ble mae y byd o hyfryd hedd,
Ond fe wn i fod lle i'w gael tu draw i byrth y bedd.

Cytgan:

Rwy'n chwilio am y freuddwyd, dragwyddol ei pharhad,
Fe glywais sôn amdani, rho i mi weld y wlad
Sydd tu draw i'r byd a'i boen, tu draw i'r loes a'r cur
Mewn breuddwyd hir,
i mewn i'r freuddwyd hir, a chrwydro llwybrau'r wlad,
A gwn yn iawn rhyw ddydd, rhyw ddydd fe gaf ryddhad,
Fe af i mewn i'r freuddwyd hir, a chrwydro llwybrau'r wlad
Sydd tu draw i'r byd a'i boen, tu draw i'r loes a'r cur
Mewn breuddwyd hir.

'Fab Duw,' ebe hi, 'gwae fi o'm genedigaeth. Da o ddwy ynys a ddifethwyd o'm hachos i.' A dodi ochenaid fawr, a thorri ei chalon ar hynny. A gwneuthur bedd petryal iddi, a'i chladdu yno yng nglan Alaw.'

Yr Alaw

Taenwch liain gwyn ar lan yr Alaw,
Rhowch fy nghorff i orffwys dan y pridd,
Fydd dim rhaid i'r helyg wylo
I'r drudwy fod yn brudd.

Cytgan

Bedd ar lan yr Alaw, ond gobaith yn y gân,
Cân anorffenedig
Â'r Alaw yn ei blaen,
Â'r Alaw yn ei blaen,
Â'r Alaw yn ei blaen.

Heddiw ddoe a fory yw ein hamser,
Fory, ddoe a heddiw – dyna'i gyd,
O mor frau yw edau amser,
Mor fyr y pery'r hud.

Cytgan

Bedd ar lan yr Alaw...

Rhowch fy nghorff i orwedd
Yn dawel dan y dail,
Yma ger yr afon does unman gwell i'w gael,
Unman gwell i'w gael,
Unman gwell i'w gael.

4.

Y Dyn 'Nath Ddwyn y Dolig

Roedd 1985 yn flwyddyn brysur iawn. Cyflwyno Helo Bobol bob
bore ar Radio Cymru. Ffilmio diwrnod cyfan wedyn yn darlunio
gweithgareddau dyddiol Gwesty Maenan, Llanrwst. A finna'n
troi fy llaw at bopeth, o wneud y gwely i fethu gwneud bwyd
yn y gegin.

Nid yn unig roedd pethe'n gynhyrchiol yn broffesiynol ond
yn bersonol hefyd. Ar Fawrth 15fed, fe anwyd Huw, mab i Anja
a finna. Ac fel dwi'n ysgrifennu'r ychydig eiriau hyn, mae o yn
y stafell drws nesa yn hel y gêr cerddorol at ei gilydd ar gyfer
gig y penwythnos yma mewn Gŵyl Haf 'End of the Road' yn
Wiltshire. Ydi, mae amser yn hedfan, fel dudodd y dyn blin
wrth luchio cloc ar draws y stafell. (Jôc ar *Hylo Sut 'da Chi?*
c.1968.) Sgwn i beth arall ddigwyddodd yn 1985? Dyma'r
penawdau:

* Streic y glowyr yn dod i ben
* Cwblhau'r A55 ar hyd arfordir Gogledd Cymru
* Yr Eisteddfod Genedlaethol yn y Rhyl a Robert Powell yn
  ennill y Gadair, y dysgwr cynta' i gyflawni'r gamp
* Marw Kate Roberts
* Marw Syr Thomas Parry Williams
* Marw Saunders Lewis
* Geni yn Abertawe, Alun Wyn Jones, babi bach a fyddai'n
  tyfu'n hogyn mawr a chryf ac yn ennill 160 o gapiau
  rhyngwladol, mwy nag unrhyw chwaraewr arall yn y byd
* Ac ar ddydd fy mhen-blwydd, Gorffennaf 13eg 1985, a
  minnau'n ddeugain a thair oed, cynhaliwyd cyngerdd 'Live
  Aid' yn Stadiwm Wembley ac ym Mhennsylvania er mwyn
  casglu arian tuag at y newyn yn Ethiopia

Dyna rai o'r prif ddigwyddiadau yn 1985. Ond mae 'na un digwyddiad arall oedd o bwys mawr, yn enwedig i blant Cymru'r flwyddyn honno; oherwydd ar Ragfyr 24ain 1985 fe garcharwyd am oes y dihiryn mwyaf dideimlad, beiddgar, trachwantus a chas a welodd y byd erioed. Ei enw oedd Mordecai, ac fe ddarlledwyd y manylion am ei fywyd ar S4C ar Ddydd Nadolig, o dan y pennawd:

Y DYN 'NATH DDWYN Y DOLIG

Yn ôl fel 'dwi'n cofio bron i ddeugain mlynedd yn ddiweddarach, y ffeithiau'n fras oedd bod Mordecai, sy'n dal dan glo, wedi cynllunio a chynllwynio i sicrhau fod holl arian pob siop yn y byd oedd yn gwerthu nwyddau Nadoligaidd eu naws yn llifo i mewn i'w goffrau preifat o. Ac yn wir, fe fyddai wedi llwyddo oni bai am ddewrder un gŵr. A hwnnw, wrth gwrs, oedd Siôn Corn. Pwy arall? I'r darllenwyr yn eich mysg chi sy'n amau gwirionedd y stori, mae gen i un cwestiwn i'w ofyn. Ddeugain mlynedd ar ôl yr ymdrech i herwgipio'r Ŵyl, ydyn ni'n dal i ddathlu'r Dolig? Ydyn, wrth gwrs. Ac mae hynny'n profi'n ddigamsyniol na fu'r cynllwyn yn llwyddiannus a bod Siôn Corn yn arwr.

Mae gwreiddiau'r hyn ddigwyddodd ym 1985 nôl ym mhridd Gerddi Soffia yng Nghaerdydd, cartre cyntaf S4C, ym mis Tachwedd 1982. O'r fan honno, dwi'n credu, y daeth 'yr alwad' i Caryl Parry Jones a minnau feddwl am syniad ar gyfer ffilm addas i'r teulu gyda thema Nadoligaidd i'r stori, a chaneuon addas hefyd.

Dydw'i ddim yn siŵr os mai felly roedd hi, a does 'na ddim pwynt i mi ofyn i Caryl, achos dwi'n gwybod na tydi hithau ddim yn cofio chwaith. Ond rydw'i yn cofio fod y cyfnod dreuliais i efo Caryl yn gyfnod hapus arall yn fy mywyd i. Cydweithio weithiau yng nghartref Caryl, yn enwedig ar y dechrau pan oedden ni'n creu strwythur y ffilm, ac yn penderfynu pwy fyddai'r gwahanol gymeriadau.

Dyna i chi Sam Crosby, dyn amheus yr olwg, sy'n cynnig cartref i'r ddwy chwaer Carys a Sera. Fe fyddai'n hawdd i chi gredu fod Sam Crosby yn ymddwyn yn amheus a deud y lleia. Ond mae llythrennau cyntaf ei enw – SC – yn awgrymu fod yna ddaioni dan yr wyneb. Ac yn wir y fo, **S**iôn **C**orn, ydi'r un sy'n trechu Mordecai y dyn drwg yn y diwedd.

Weithiau fe fyddwn i'n cael syniad am eiriau cân, a cherddoriaeth i fynd efo'r geiriau. Dwi'n defnyddio'r gair 'cerddoriaeth'. Ond fyddech chi byth yn galw'r sŵn y byddwn i'n ei greu wrth ganu'r gân lawr y ffôn i Caryl yn gerddoriaeth o unrhyw fath. Mae hi'n hoffi pardduo fy nghymeriad a phwysleisio fy anallu cerddorol drwy adrodd stori am ddeuawd roeddwn i wedi ei sgwennu i'r ddwy chwaer yn y ffilm, ac wedi mynd cyn belled ag awgrymu alaw. Fe ddisgrifiodd Caryl yr alaw fel 'rhywbeth fasa chi'n glywed yn cael ei chwarae gan Oompa Band o Bafaria wedi iddyn nhw fod ar y lagyr drwy'r pnawn.' A bod yn onest doedd hi ddim cystal â hynny!

Diolch i'r drefn, ac i allu cerddorol Caryl i gyfansoddi alawon cofiadwy sy'n priodi'n berffaith bob amser efo'r geiriau, fe achubwyd y gân o grafangau cerddorol y Band o Bafaria. Mae'r ddeuawd yn cael ei chanu fel mae Carys a Sera yn cerdded i mewn drwy ddrysau cartref i blant amddifad. Ac mae Sera yn gorfod gadael ei chwaer yno ar ei phen ei hun.

Deuawd y Ddwy Chwaer

Sera
'Dyw muriau ddim yn garchar – os oes gen ti ffydd,
All neb dy garcharu os yw'th ysbryd yn rhydd,
Paid anobeithio, er mor dywyll yw'r nos,
Dal i gredu ddydd ar ôl dydd.

Carys

Mae'r ddinas yn greulon heb galon, yn oer,
Yn cuddio'n y cysgodion yng ngholau'r lloer,
Rwy'n teimlo mor unig, ac mae'r amser mor brin,
O! Sera, gwasga fi'n dynn.

Cytgan

Ddydd ar ôl dydd byddaf i gyda thi
Yn dy ymyl yn brwydro yn erbyn y lli,
Wrth dy ochor i'th gynnal, i ateb dy gri,
O byddaf, byddaf i gyda thi.

Carys: Cyn i ti ffarwelio rho im dy law.
Sera: Fe fyddaf yn agos beth bynnag ddaw.
Carys: Wyt ti'n addo na fyddi di'n myned ymhell?
Sera: Na! Fi fydd y golau'n dy gell.

Cytgan

Ddydd ar ôl dydd byddaf i gyda thi...

Nid ar chwarae bach ddaru Emyr Wyn lwyddo i ganu geiriau'r
gân am y siop lle'r oedd ei gymeriad Sam Crosby a'i dîm yn
gwneud dillad ar gyfer partïon gwisg ffansi. Enwyd y siop ar ôl
ei pherchennog yn Samporium. Er mwyn i'r gân fod yn
effeithiol, roedd hi'n ofynnol i Emyr ganu'r geiriau'n gyflym
heb gymryd ei wynt. Ond pan chwaraeid y trac sain yn ei ôl,
roedd gofyn wedyn i'r meimio fod yn berffaith.– ac fe oedd.
Felly, mewn â ni i'r Samporium.

Gyda llaw, fe ges i broblem fechan wrth gyfansoddi'r geiriau
i feddwl am air addas i odli gyda 'Samporium'. Ond drwy dwyll
a dichell, fel cewch chi weld, fe lwyddais. (Y geiriau i'w canu,
neu eu hadrodd mor gyflym ac y gallwch chi – heb gael
trawiad.)

Y Samporium

Wo! Wo! Wo! Wo! Dewch lawr i'r Samporium,
Cyfle i bawb i ym–
–Hlith holl drugareddau Sam,
Mae'r cyfan yma!
Dewch lawr i'r Samporium.

Sam:
Os y'ch chi am wisgo fyny fel hen frân neu Easter Bunny,
Dewch i ngweld i, newch chi synnu beth sydd gen i. Fi yw'r un
Sydd yn llogi dillad ffansi i'ch Mam-gu, Tad-cu, neu'ch Anti
Fynd i barti yn y Palas neu yn Dallas – Sam yw'r dyn!
Gin i 'line' mewn archesgobion, ac un arall mewn enwogion,
Maen nhw'n galw am gynghorion yn y siop ma'n aml iawn,
Ges i ffôn gan Ronald Reagan 'Mynd i barti'n Llanfairfechan',
Wel doedd hynny ddim yn broblem gan fod gen i ddillad
clown.

Cytgan
Wo! Wo! Wo! Wo! Dewch lawr i'r Samporium...

Gyda lliain golchi llestri wedi'i lapio am eich pen chi
Gallech fod yn Sheik cyfoethog o Arabia boeth,
Neu yn dderyn, bwdji, gwylan, wedi'ch gwisgo fel tylluan
Gallech hydnoed ddysgu hedfan – ond a fyddai hynny'n ddoeth?
Os y'ch chi am fod yn 'fairy' neu yn hen gorilla 'hairy'
Neu fel Hitler gynt yn 'Jerry', gin i'r gêr i chi,
Beth am wisgo lan fel tebot, neu yn lliwgar iawn fel parrot,
Mae popeth yma'n barod ar eich cyfer chi.

Cytgan
Wo! Wo! Wo! Wo! Dewch lawr i'r Samporium...

Pâr neu ddau o goese clagwydd, a gŵn nos rhyw
hen Archdderwydd
A llond sach o drwynau cochion, dannedd gosod, bysedd hir,
Charlie Chaplin, Sinderela, hyd 'noed lladron Ali Baba,
Mae pob un o'r masgiau yma – Magi Thatcher? Ydi wir!
Os chi'n mynd i barti heno, does 'na'm problem beth i'w wisgo,
Yn y disgo chi fydd Fred Astaire neu Cyd Charisse,
Bwci bo's a bwganod, llwyth o ddillad i'r lleianod,
Masgiau llyffaint a brogaod – peidiwch poeni am y pris.

Cytgan: Wo! Wo! Wo!...

Fel ro'n i'n deud yn gynharach, roedd sgwennu'r ffilm yma yn
hwyl, yn bleser, yn addysg, yn bopeth ond gwaith. Ac yn hedyn
i fwy o gydweithio gyda Caryl ar ôl hynny ar raglenni radio,
teledu a phantomeimiau. Ond petai rhaid i mi ddewis un gân
wnes i fwynhau ei sgwennu fwyaf, fe fyddai'n rhaid i mi ddewis
Cân Mordecai. Fel dudodd rhywun, 'Mae creu cymeriad sy'n
ddrwg yn hwyl.' Yn enwedig os fedrwch chi lwyddo i greu
cymeriad y mae eich cynulleidfa chi yn mynd i garu ei gasáu.
Roeddwn i wedi meddwl ar un adeg cynnig syniad i S4C am
ddilyniant i'r *Dyn Na'th Ddwyn y Dolig*, gan fod 'na fwy na
'dedfryd oes' o amser wedi mynd heibio ers i Mordecai gael ei
garcharu yn 1985.

Mae'r byd wedi newid ers hynny. Sut byddai Mordecai yn
delio gyda'r newidiadau hynny? Fydda fo'n cael ei ddenu yn ôl
ar hyd y llwybr sy'n arwain i ddistryw eto? Ond ddaw Mordecai
ddim yn ôl, oherwydd mai creadigaeth Meic Povey oedd y
cymeriad. A fedrai neb arall chwarae'r rhan gystal â Meic. Fe
ddwedodd wrthyf fwy nag unwaith gymaint yr oedd o wedi
mwynhau mynd o dan groen y cymeriad dieflig, cas,
cynllwyngar. Mor wahanol i Meic ei hun.

Cân Mordecai

(Gyda'i fownsars Ffurat a Nycls – Aled Samuel a Louis o'r
grŵp Louis a'r Rocyrs gynt, yn cyfrannu i'r corws.)

Mae'r byd ma'n llawn o ddynion drwg, ond neb mor ddrwg â mi,
Dwi'n ymhyfrydu yn y ffaith, dwi'n waeth na'r KGB,
Pan o'n i yn yr ysgol fach, y fi oedd boss y gang
Na'th gipio Coron Steddfod Rhyl, a'r Pafi dan ei sang

Corws:
Pwy sy'n medi, byth yn hau? Mordecai.
Pwy sy'n gyfrwys ac yn slei? Mordecai.
Pwy sy'n berchen mil o dai? Mordecai.
A Bae Colwyn fwy neu lai?
MORDECAI!

Mae gen i fwy o gyfoeth na'r Shah a'r Aga Khan,
Awyren fwy na'r Concorde i'm cludo nôl a mlân,
Mae cryndod drwy y cread pan gerddaf lawr y lôn,
Ac o'i gymharu efo fi, Boi Sgowt yw Al Capone

Corws:
Pwy yw'r un sy'n cael y bai? Mordecai
Pwy mae pawb yn ei gasáu? Mordecai.
Wedyn hogia, pwy 'di'r boss? Mordecai.
Ia heb os nac oni bai,
MORDECAI!

Mae mam yn ffrind i Ronald Biggs, mae o'n dod i'r tŷ am de,
Pan o'n i'n naw, fe es i draw am dro at Ronnie Kray,
Ond nawr rwy'n fawr, yn wir yn gawr – ond tydwi'n fachgen
ffein?
'Hei Boss!' OK. Mae'n rhaid 'mi fynd, Lord Lucan ar y lein.
Pwy yw seren Private Eye? Mordecai.

Pwy sy'n sbïo ar y sbei? Mordecai.
Pwy sgin dŷ ha' yn Hawaii? Mordecai.
Lamborghini – gin i DDAU!
MORDECAI!

Corws:
Pwy sy' bia Singapore? Mordecai.
Rwsia, Rachub, Ecuador? Mordecai.
Pwy sy'n gwybod be' 'di'r sgôr? Mordecai.
Pwy yw'r boss ar dir a môr?
MOR-DE-CAAAAAAAI!!!

Fedra neb yn y byd, gan gynnwys y byd a ddaw fod wedi creu cymeriad mor gofiadwy a Meic. Ac 'roedd o wedi gwirioni yn cael mynd o dan groen Mordecai a'i hoff linell oedd – 'Lamborghini – gin i Ddau!' Ond dim ond un Meic Pofi oedd 'na – a 'dwi'n dal i'w golli o.

'Gwaith a gorffwys bellach wedi mynd yn un,' chwadal yr emynydd. Dyna'r cyfuniad sydd wedi gweithio. Gwaith a gorffwys, chwys a chwerthin. Ac mae'r dyddiau hynny yn ymestyn yn ôl i gyfnod sgwennu y pantomeimiau cynnar efo Caryl – *Jiw Jiw Jeifin Jenkins* a *Jac a'r Jyranium*, a'r flwyddyn 1982 a rhyddhau'r albwm Shampŵ. Roeddwn i mewn salon trin gwallt Unisex yng Nghaerdydd pan ddaeth yr alwad.

'Hyws, 'da ni'n recordio albym ac isho un gân arall. Sgin ti un?'

Doedd gin i'r un wrth law, ond ar ôl rhoi'r ffôn i lawr dyma wylio un o'r dynion ifanc yn y siop yn golchi gwallt merch hynod o ddeniadol. A hithau wedi llwyr ymgolli ac yn mwynhau ei hun i'r eitha, dychmygais weld Caryl yn eistedd yn y gadair ac yn disgrifio Maurice (nid ei enw iawn) yn golchi ei gwallt. Dyna'n syml ydi'r geiriau, wel, mewn ffordd o siarad. Doedd dim angen llawer o eiriau beth bynnag gan fod y gerddoriaeth mor bwerus. Ac roedd yr 'a' a'r 'ŵ' yn 'Shampŵ' yn ddefnyddiol iawn.

Shampŵ!

Bysedd rhywiol ar fy ngwegil,
Sebon gwyn yn llifo i'r ddesgil,
W w Ww Shampŵ,
Gorwedd nôl, a syllu'i fyny,
Crib Maurice drwy'r gwallt yn tynnu,
Ww Ww Shampŵ...

(Cerddoriaeth gyda Caryl yn gwneud synau yn cyfleu pleser
dilyffethair tra'n canu SHAAA...MMMM...P...Ŵ! SHAMPŴ!)

Sibrwd geiria yn fy nghlustia,
Isio gorwedd – gorfod ista,
Ww Ww Shampŵ.

Corff Maurice yn dechrau crynu
A ngwefusau'n dechrau gwlychu,
O Maurice, beth wyt ti'n neud i mi?
Dwylo medrus ar fy ngwar i,
O Maurice rwyf yn dy garu,
Ww Ww Shampŵ.

5.

Penrhyn Llŷn

Braich o dir yn hir ymestyn tua'r gorwel draw,
Creigiau llwyd yn golchi'u dwylo, yn y môr islaw,
Ynys Enlli sydd yn cysgu fel y seintiau gynt,
Lleisiau Llŷn sy'n sibrwd heno'n dawel yn y gwynt.

Cytgan
Penrhyn Llŷn â'i braich amdanaf,
Penrhyn Llŷn yw'r lle a garaf,
Aur ei thraethau, lliwiau'r machlud fel y gwin,
Penrhyn Llŷn sy'n llonni'r galon
Penrhyn Llŷn sy'n llawn atgofion,
Sy'n gwireddu fy mreuddwydion,
Penrhyn Llŷn.

I Garnfadryn awn yn hogyn, pan ddoi gwyliau'r haf,
Chwarae cuddio, yna dringo yn yr heulwen braf,
Fe ddaeth yno chwa i'm suo ac yng ngwres yr haul
Teimlwn nad oedd ar y ddaear unman gwell i'w gael

Cytgan
Penrhyn Llŷn â'i braich amdanaf...

Clywed weithiau sŵn yr hwyliau, eto fel o'r blaen,
Dafydd Jones yn codi angor draw ym Mhorthdinllaen,
Hwyliais innau fwy nag unwaith i bellafoedd byd,
Ond i hafan Morfa Nefyn, dof yn ôl o hyd.

Yn ôl y comedïwr Americanaidd Steve Wright, os ydych chi'n dwyn syniad gan awdur arall, mae hynny'n llên-ladrad. Ond os ydych chi'n dwyn mwy nag un syniad o fwy nag un llyfr, mae hynny'n ymchwil. Fel un sydd wedi dwyn syniadau yn y gorffennol, ac wedi eu cuddio'n llwyddiannus yng nghanol dipyn o ymchwil, fe wn i'n iawn fod yna wirionedd ynghudd yng ngeiriau doeth Steve Wright.

Ond rhag ofn i mi fynd ar fy mhen i mewn i ddŵr poeth llenyddol, efallai y byddai'n gall i mi gyfaddef cyn mynd dim pellach fod yr hyn y byddwch chi'n ei ddarllen am gefndir 'Penrhyn Llŷn' yn gyfuniad o lên-ladrad ac ymchwil. A beth bynnag, fe fydd y rhai hynny ohonoch chi sydd wedi byw ym Mhen Llŷn ar hyd eich oes ac wedi trwytho'ch hunain yn ei hanes a'i lenyddiaeth yn hen gyfarwydd â'r cynnwys. Ond os oes 'na yn eich plith chi un neu ddau sy'n credu mai lle da i gynnal parti yn Aberdaron ydi Fflat Huw Puw, efallai y bydd cynnwys y cyflwyniad yma i eiriau'r gân yn eich goleuo chi.

A sôn am Mr Puw a'i gwch, yn ôl y sôn roedd Huw yn hwylio'i fflat (cwch gyda gwaelod fflat, un mast a thair hwyl) ar Hydref yr 8fed 1858 er mwyn mynd â llwyth o goed o Borthdinllaen pan gododd gwynt nerthol a dryllio'r cwch ar greigiau Ynys Tudwal. Collwyd pob un o'r criw. Ond fe achubwyd Huw, ei wraig Catrin a Dafydd y mab. Cofnodwyd y digwyddiad ar lafar mewn rhigwm a genid gan longwyr Llŷn, rhigwm a fu'n ysbrydoliaeth i J. Glyn Davies gyhoeddi cyfrol o gerddi dan y teitl *Cerddi Huw Puw*:

> Fflat Huw Puw yn rowlio,
> Dafydd Jones yn riffio,
> Huw Puw, wrth y llyw,
> Yn gweiddi 'Duw a'm helpo!'

Fe ddaeth y cais i sgwennu'r gân ar ddiwedd blwyddyn brysur iawn o ffilmio cyfres *Ar dy Feic* i S4C yn Belfast, Rhufain, Sbaen, Groeg, y Swistir a Dubai. Gyda llaw, hwyrach fod teitl y gyfres yn gamarweiniol ac wedi rhoi'r argraff i rai o'r gwylwyr ar y pryd 'mod i wedi reidio beic o'r Swistir i Dubai. Fe synnwch chi glywed dwi'n siŵr na wnes i ddim. Dim ond edrych yn wirion ydw i. Wedi dweud hynny, mae angen gweld seiciatrydd ar unrhyw un sy'n cytuno i reidio beic drwy ganol Rhufain am bump o'r gloch y pnawn ar *Vespa* oedd yn sigo dan fy mhwysa.

Beth bynnag, roeddwn i newydd ddychwelyd i Gymru ar ddiwedd y ffilmio ac wedi cael sgwrs gyda John ac Alun am y posibilrwydd o gyfansoddi cân oedd yn talu teyrnged bersonol gan yr hogia i Benrhyn Llŷn a'i phobol. Yn ôl John fe ymatebais i'r comisiwn gyda brwdfrydedd gan ddweud:

'Dwi'n mynd ar y trên i Brestatyn ymhen hanner awr. Fe fydda'i wedi ei sgwennu hi erbyn i mi gyrraedd adra.'

Rŵan tydw i ddim eisiau cyhuddo John o roi geiriau yn fy ngheg i, ond mi wna'i. Wnes i ddim dweud y ffasiwn beth. Doeddwn i ddim wedi sylweddoli y byddai angen dipyn go lew o ymchwil cyn y byddai'r gân yn barod. Yn ffodus iawn, fe wyddwn fy ffordd o gwmpas Llŷn yn weddol gan fy mod wedi gwneud dipyn o ffilmio yn y gwahanol bentrefi yn ystod fy mlynyddoedd cynnar fel prentis o ddarlledwr. Ym Mhwllheli, yng Ngwersyll Billy Butlins, ac ar Ynys Enlli yng nghwmni'r ugain mil o saint. Cefais ddiwrnod i'w gofio hefyd yn pysgota penwaig yn y môr oddi ar arfordir Morfa Nefyn, hynny flynyddoedd cyn i Endaf Emlyn ganu clodydd pryd o facrall wedi ei ffrïo efo caws a menyn Eifion.

Os wnewch chi ymweld â safle Rhiw.com, mae'r dudalen sy'n sôn yn benodol am 'Nefyn Herrings' yn cyfeirio at y ffaith fod yna 40 o gychod yn pysgota penwaig yn Nefyn cyn dechrau'r Rhyfel Byd Cyntaf. Nefyn oedd prifddinas pysgota penwaig Cymru bryd hynny, a dim ond rhyw bedair milltir o daith ydi hi o Forfa Nefyn i Dudweiliog, cartre John ac Alun, felly mae 'na le amlwg i'r pentre yn y gân. Fe anwyd fy nhaid yn y felin ar stad sgweiar Madryn Love Jones Parry. Ac roedd Yncl John ac Anti Jane yn ffermio ffarm Meillionen, ac Yncl

John yn cael ei gydnabod fel y gyrrwr mwyaf peryglus y tu ôl i olwyn ei gar MG Sports.

Pan fyddwn i'n dŵad adre o Gaerdydd yn y chwedegau byddai'n arferiad i mi fynd â Mam am dro yn y car o amgylch Pen Llŷn. Byddai wrth ei bodd yn eistedd yn y sêt flaen efo'r ffenest ar agor, a gwynt y sigarét *Embassy* yr oedd hi'n ei smocio yn cael ei chwythu'n ôl i mewn drwy'r ffenest wrth i mi anelu trwyn y car am Bwllheli, lle byddem ni wastad yn oedi am 'rhyw banad bach Hyw ac eis crîm'. A chan mai ym Mhwllheli y ganwyd Cynan, un o gymeriadau mwyaf lliwgar Cymru'r ugeinfed ganrif, gobeithio y gwnewch chi ganiatáu i mi barcio'r car dychmygol am funud bach ar y daith i sôn am fy adnabyddiaeth bersonol i o un o gymeriadau chwedlonol Llŷn.

Ym 1957 roeddwn i'n bymtheg oed pan gynhaliwyd yr Eisteddfod Genedlaethol yn Llangefni, fy nhref enedigol. Ar gyfer yr Eisteddfod fe gomisiynwyd Cynan i ysgrifennu 'Absalom fy Mab', y ddrama gomisiwn gyntaf erioed yn hanes yr Eisteddfod. Ac fe gefais innau'r fraint o chwarae un o'r rhannau, sef Meffiboseth, y bachgen cloff. Os ydych chi am hanes manwl y cynhyrchiad, mae'r cyfan yng nghofiant gwych Gerwyn Williams i Cynan, gyhoeddwyd yn 2021.

Digon yw dweud fod y cynhyrchiad yn fwy o drychineb na holl ddramâu Groeg efo'i gilydd. Yn bersonol, doeddwn i ddim ar fy ngora, a deud y lleia. Roedd gen i ddwy broblem sylfaenol. Doeddwn i ddim yn gallu cofio pa un oedd y droed gloff ac felly roedd y cloffder yn newid o droed i droed yn dibynnu ar ba ffordd roeddwn i'n croesi'r llwyfan. Yn ogystal â hynny, ac oherwydd nerfusrwydd parhaol, roeddwn i'n dueddol o faglu dros fy ngeiriau, a chefais fy ail-fedyddio gan rai aelodau o'r cast. Yn lle Meffiboseth, fi oedd Mess o bopeth.

Fe berfformiwyd y ddrama ar lwyfan Neuadd y Dre ar noson wyllt o fellt a tharana. Oedd, roedd hyd yn oed y duwiau yn ein herbyn. Aeth y golau allan yn y neuadd yn ystod yr act gyntaf, ac fe aeth Cynan allan o'r neuadd yn ystod yr ail act i 'wylo'n chwerw dost' mae'n bur debyg.

Dair blynedd yn ddiweddarach roeddwn yn teithio ar y trên o Fangor i Gaerdydd i'r Coleg Cerdd a Drama. Roedd y trên yn orlawn. Dim sêt wag yn unman. Felly dyma benderfynu mentro i'r dosbarth cyntaf. Agorais y drws, a phwy oedd yno'n eistedd ar ei ben ei hun yn y gornel, wedi taenu lliain bwrdd gwyn dros ei gôl ac ar fin rhoi brechdan yn ei geg ond Cynan. Syllais arno am eiliad heb symud, a heb faglu. Yna gwelais fy nghyfle.

'Pnawn da Cynan. Mae'n ddrwg gin i dorri ar draws eich cinio chi. Hywel Evans ydw i a fi oedd yn chwarae rhan Meffiboseth yn eich drama chi.'

Gallai'r frawddeg honno fod wedi achosi i Cynan dagu ar ei frechdan ham. Ond mae'n rhaid bod y tair blynedd a oedd wedi mynd heibio wedi dileu unrhyw atgof a oedd gan Cynan o'r noson drychinebus yn Neuadd y Dref Llangefni, oherwydd cefais groeso 'first class' ganddo, lle i eistedd, a mwy nag un frechdan ar y daith i Gaerdydd.

Ond nôl at Mam a'r daith yn y car. Ar ôl iddi orffen ei heis crîm, ymlaen â ni ar ein taith i Abersoch ac yna Aberdaron. Ac ar ôl seibiant ar 'greigiau Aberdaron' yn gwylio 'tonnau gwyllt y môr' fe fyddai'n amser i gychwyn ar ein taith yn ôl i Fôn. Fe wyddwn cyn i ni gyrraedd yn ôl adre beth fyddai geiriau Mam wrth i ni gerdded i lawr y llwybr at y tŷ. Yr un geiriau bob tro.

'Wsti be Hyw? Does 'na'm lle tebyg i Ben Llŷn i lonni calon rhywun.'

Iddi hi mae'r diolch am y llinell yna yn y cytgan, air am air. Yn y fersiwn wreiddiol o'r gân roeddwn i wedi disgrifio Llŷn fel 'darn o dir yn ymestyn tua'r gorwel'. Ond mae 'braich o dir' yn well disgrifiad ac yn esgor ar syniadau eraill. Y creigiau fel 'tae nhw'n 'golchi'u dwylo yn y môr islaw.' I'r ddau hogyn o Dudweiliog, mae'r fraich o dir a'i phobol a'u hanes yn fraich warchodol hefyd yn lapio'i hun amdanyn nhw ac yn eu tynnu nhw yn ôl i'w chôl, lle bynnag maen nhw'n mynd i grwydro.

Yn Adran Fapiau'r Llyfrgell Genedlaethol mae un o'r mapiau mwyaf anghyffredin o Gymru sydd ar gael. Mae'n portreadu'r wlad fel hen wraig mewn gwisg Gymreig draddodiadol. Siâp ei phen yw Sir Fôn, ac mae ei thraed i'w gweld o dan odre'r wisg yn sefyll ar Benrhyn Gŵyr. Mae ei ffedog yn gorchuddio Ceredigion, a Chlwyd a Fflint tu mewn i sach ar ei chefn. Prin y gallwch chi weld ei braich dde. Ond y fraich chwith yw Penrhyn Llŷn, yn ymestyn allan i'r môr. Hwyrach fod braich yr hen wraig yn y map rhywle yn fy isymwybod hefyd, ac wedi brigo i'r wyneb wrth chwilio am ddisgrifiad daearyddol addas.

Yn yr ail bennill mae 'na gyfeiriad at fynydd pwysig iawn yn hanes Llŷn – Carn Fadryn, neu Garnfadryn ar lafar. Ar ôl i chi gerdded ar hyd llwybr eitha serth i'r copa, sy'n ddeuddeg can troedfedd o uchder, fe welwch fod yna olion hen gaer o'r Oes Haearn yno. Ac yn ogystal â hynny, adfeilion o'r ddeuddegfed ganrif o hen waliau sych hen gastell a godwyd ar y safle gan feibion Owain Gwynedd, yn ôl Gerallt Gymro. (Mae rhai wedi ei gymysgu o efo Gerallt Pennant. Ond cyflwynydd *Galwad Cynnar* ar y radio ydi o.)

Fedrai byth glywed yr enw 'Garnfadryn' heb glywed hefyd y geiriau 'ddistaw bell' wrth ei gynffon. Pan oedd Cynan yn Gaplan yn y fyddin ym Macedonia gyda'r Royal Army Medical Corp fe anfonodd y Nico yn llatai drosto yn ôl i Gymru. Ac yno hefyd y mynegodd ei hiraeth am Lŷn a Garnfadryn mewn casgliad o hwiangerddi.

> Arglwydd, gad im bellach gysgu,
> Trosi'r wyf ers oriau du;
> Y mae f'enaid yn terfysgu
> A ffrwydradau ar bob tu.
> O! na ddeuai chwa i'm suo
> O Garn Fadryn ddistaw, bell,
> Fel na chlywn y gynnau'n rhuo
> Ond gwrando am gân y dyddiau gwell.

Gallwn yn hawdd dychmygu bod Cynan wedi ymweld â'r ardal sawl gwaith cyn iddo ymuno â'r fyddin yn y Rhyfel Byd Cyntaf, wedi dringo Garnfadryn yn hogyn fel y gwnaeth John ac Alun yn eu tro ar ddiwrnod o haf poeth pan oeddan nhw'n hogia ifanc. Yng ngwres yr haul, ac efo chwa ysgafn i'w suo i gysgu, maen nhw'n dychmygu clywed 'sŵn yr hwyliau'n codi' ym Mhorthdinllaen, a hwythau'n mynd yn eu capiau pig gloyw i fod yn 'llongwyr iawn ar Fflat Huw Puw'. Neu, hyd yn oed yn y dyddiau cynnar hynny, yn breuddwydio eisoes am gael diwrnod i'r brenin wrth giatia Graceland.

6.
Nadolig fel hynny...

Y FLWYDDYN: 1949. YR ACHLYSUR: DRAMA'R GENI.

MAE'R BABAN IESU AR GOLL, GŴR Y LLETY WEDI CAEL
Y FFLIW AC MAE CORON UN O'R DOETHION YN RHY
FAWR I'W BEN O AC WEDI DISGYN AM EI WDDW. O
GANOL Y GYFLAFAN THEATRIG YMA YN Y FESTRI
CLYWIR LLAIS CLIR AC AWDURDODOL UN GŴR, SY'N
GYFRIFOL UNWAITH ETO ELENI AM WNEUD YN SIŴR Y
BYDD Y DOETHION YN CYRRAEDD Y PRESEB DRWY
DDILYN Y SAT.NAV. NEFOL A HEB GAEL FFEIT EFO'R
BUGEILIAID, YR ANGYLION YN CANU MEWN TIWN, A'R
BABAN IESU'N CAEL EI ENI AR AMSER – OS FEDAR
RHYWUN DDOD O HYD IDDO FO.

(Llais yn gweiddi): 'Reit ta. Hisht! Pawb yn dawel! Bugeiliaid,
Doethion, Angylion! Byddwch yn dawel a sbïwch arna i! Diolch.
Oes 'na rywun wedi gweld y Baban Iesu?' (Llais awdurdodol
Idris Davies Argraig, diacon, codwr canu a gwerthwr paraffin.
Y fo ydi Cecille B de Mille epic flynyddol Drama'r Geni yn y
Festri.)

'Plîs Mr Davies. Dwi'n meddwl 'i fod o ar sêt gefn car Mr Eic
Thomas.'

'Be mae o'n neud yn fanno? Fama mae o i fod, yn y preseb.
Fedrwn ni ddim cael yr angel Gabriel yn llefaru, "Ac wedi geni'r
Iesu yng nghar Mr Eic Thomas." (Pawb yn chwerthin)

'Tydio ddim yn ddoniol... Ewch i nôl Mr Thomas a deud
wrtho fo am ddŵad â'r Baban Iesu o'r car i fama – RWAN! Yn
y cyfamsar, mi drïwn ni'r garol unwaith eto. Cofiwch ynganu'r
geiriau'n glir. (Yn canu) "I orwedd mewn preseb". I orwedd.

Dau air. Nid "Ior-werth mewn preseb". Ac os fedrwch chi ganu rhei o'r nodau mewn tiwn, mi faswn i'n ddiolchgar iawn.'

'Mr. Davies?'

'IA! Be sy rwan?'

'Tydi'r Baban Iesu ddim yng nghar Mr Thomas, ac mae un o'r Doethion wedi colli ei anrheg ac isio gwbod geith o roi bag o swîts i'r baban wedi ei lapio mewn papur arian.'

'A be' mae o'n awgrymu ddylai'r Doethion erill ei roi fel anrhegion? Mars Bar, Spangles a Pear Drops?'

(Mae Mr Davies bron â'i cholli hi. Ond mae o'n gwybod o hir brofiad mai fel hyn mae hi bob blwyddyn, a dim ond dwy awr i fynd. Fe fydd Herod yn siŵr o golli ei gleddyf, y llu nefol yn anghofio'u geiriau a'r Baban Iesu yn siŵr o ddŵad i'r fei.)

'Iawn ta. Yr ail garol ydi, "Ni a'th siglwn". Ar ôl tri... un, dau, tri!'

'Ni a'th siclwn, siclwn, siclwn. Ni a'th...'

'Stopiwch! "Siclwn" wir! Trïo'i gael o i gysgu rydach chi. Nid trïo'i neud o'n sâl.'

'Ond Mr Davies, os ceith o Mars Bar mi fydd o'n "sick".'

'OES 'NA RYWUN WEDI GWELD Y DDOL?'

A hwy a gawsant y dyn bach wedi ei lapio mewn lliain sychu llestri a'i ollwng tu ôl i'r piano mewn camgymeriad.

Mae'n syndod be' oedd yn bosib ei greu efo lliain bwrdd gwyn, dressing gown streips brown, 'chydig o binnau a lot fawr o ddychymyg. Yn y cynhyrchiad y flwyddyn honno yn 1949 a finna'n saith oed, y fi oedd Joseff, Eirian Harries oedd Mair, Hefin Owen, John Llew Hughes a Peter Harlech Jones oedd y Doethion. Ac yna fry yn y nen yn gwisgo adenydd a dillad gwyn, yr Angylion yn edrych yn ofnadwy o annhebyg i lu nefol.

Ac er i mi actio yn Theatr Fach Llangefni ac ar y radio o Fangor, Joseff oedd fy rhan broffesiynol gyntaf, oherwydd 'roeddwn i'n cael fy nhalu'n hael gan fy Nain, fyddai'n siŵr o roi swllt i mi am fy mherfformiad. Ond fe fyddai'n rhaid i mi aros tan noswyl Nadolig am yr arian, gan ei fod o'n cael ei gyflwyno i mi yn ystod seremoni flynyddol 'Cyflwyno'r Bocs'.

Ond roedd 'na wythnos i fynd tan hynny, ac roedd yna barti i'w fwynhau. O fewn hanner awr roedd y preseb, y llety llwm, y doethion a'u camelod a'r bugeiliaid a'u defaid i gyd wedi diflannu, a'r festri wedi ei thrawsnewid. Dau fwrdd hir a meinciau bob ochor iddyn nhw, a'r byrddau hynny'n llawn llynnoedd cwstard a jeli. Mynyddoedd o frechdanau samwn mewn trionglau perffaith. Tyrrau o deisennau siocled. A chaeau o fins peis a ffynhonnau di-waelod o lemonêd, cherryade, dandelion and burdock, Vimto a Chorona i ddisychedu'r anghenus.

Doedd na ddim parti fel Parti Dolig, oherwydd fe wyddem y byddai Idris Davies wedi trefnu ymweliad gan y dyn ei hun, ac wedi rhybuddio pob un ohonan ni i wrando'n astud am sŵn cloch fach yn y pellter. Hynny fyddai'n arwydd fod Siôn Corn a'i geirw wedi glanio wrth y cloc mawr ar sgwâr y dre. Ac yn wir i chi, fel roeddan ni'n cyrraedd diwedd 'O deuwch ffyddloniaid' ac yn canu 'O deuwch ac addolwn, O deuwch ac addolwn Grist o'r Nef' roedd sŵn cloch fach i'w chlywed yn agosáu at ddrws y festri. Byddai hynny'n arwydd i ddiffodd y golau. Yn ara deg mae'r drws yn agor. Ac mae o yno, efo clamp o sach fawr ar ei gefn.

'Hylo blant! Dolig Llawen!'

'Dolig Llawen, Siôn Corn!'

Yn ei got goch laes a'i welintons du, mae o'n cerdded yn araf rhwng y meinciau i lawr at y llwyfan bychan ym mhendraw'r festri, lle mae 'na gadair gyfforddus yn ei aros a phlatiad o fins peis ar fwrdd bychan gerllaw. Mae gen i go' clir o eistedd ar lin Siôn Corn a chyffwrdd yn ysgafn â'i locsyn o a syllu mewn rhyfeddod i fyw ei lygaid. Neu i fyw ei sbectols o a deud y gwir. A dyna oedd y rhyfeddod. Roedd ganddo fo'r un fath o sbectols â rhai fy nhad. Nid yn unig roeddan nhw'n edrych yn debyg, ond roedd yntau wedi cael damwain fechan mae'n amlwg ac wedi cael un o'r corachod sy'n ei helpu o i roi plastr rownd y bont fechan a'r lle i'w drwyn o ffitio.

'Nawr te Hywel bach. Wyt ti wedi hala llythyr at Siôn Corn

i weud beth ti'n moyn?'

'Ydw, Siôn Corn.'

'Wrth gwrs dy fod ti. Rwy'n cofio nawr. Ffwtbol i gicio tu fas gyda dy ffrindie Alfyn ac Arthur. A ti'n moyn cyllell boced hefyd i neud bwa saeth pan chi'n 'ware Cowbois ac Indians yn y Dingle.'

'Diolch Siôn Corn. A dwi'n mynd i adal powlen o lefrith i Rudolph hefyd wrth y drws cefn'

'Fydd e wrth 'i fodd. Sdim byd tebyg i fasned o lâth ar ôl i ti fod yn gwitho mor galed â Rudolph.'

Fel roeddwn i'n mynd yn hŷn roeddwn i wedi sylwi fod Siôn Corn yn siarad yn wahanol i bobol Sir Fôn. 'Llâth' yn lle 'llefrith'; 'mas' yn lle 'allan', 'lan' yn lle 'fyny'. Siarad yn debyg iawn i'r ffordd oedd fy nhad yn siarad a dweud y gwir. Mi fydda fo'n defnyddio 'mas' a 'moyn' a 'dishgled' achos fel 'na maen nhw'n siarad yn y De. Ac un o Gydweli oedd fy nhad. Ond roedd Siôn Corn yn dŵad o'r Gogledd Oer ac eto roedd o'n swnio'n debyg iawn i fy nhad weithia.

Dwi'n cofio, pan oeddwn i'n ddeuddeg ac yn rhy hen i eistedd ar lin Siôn Corn fe wnes i ofyn i fy nhad un flwyddyn os oedd Siôn Corn yn bod. Dwi'n cofio'r edrychiad o syndod ar ei wyneb o am i mi ofyn y fath gwestiwn. 'Wrth gwrs mae e'n bod' oedd ei ateb. 'Mae e'n bod os wyt ti'n credu ei fod e'n bod.' Ac mi oeddwn i'n credu. Ac mae gen i blant fy hun erbyn hyn, ac wyrion a wyresau, ac maen nhw'n credu hefyd.

Ar y ffordd adre o'r parti fe fyddai Mam a Dad a fi yn galw heibio tŷ Nain yn Llangefni, ac yn y stafell ganol rhwng y gegin a'r parlwr gorau o flaen tanllwyth o dân glo, fe fyddai Taid a Nain yn cynnal seremoni'r Bocs. Bocs sgidia oedd y bocs, wedi ei addurno efo papur lapio lliwgar a'i osod yng nghanol y bwrdd mawr lle bydda Nain a Taid yn cael brecwast bob bora. Taid fydda'n siarad gynta; yn wir fo oedd yr unig un oedd yn deud gair. Roedd Dad a Mam a Nain yno er mwyn trosglwyddo'r bocs o'r naill i'r llall ac yn y pendraw i mi, gyda'r un urddas ag y cyflwynid y Corn Hirlas i'r Archdderwydd yn y Steddfod.

'Ti wedi bod yn hogyn da eto leni Hwal?'

Roedd y geiriau'n gyfarwydd ac yn cael eu hailadrodd bob blwyddyn.

'Ac felly mae Nain a finna am roi rwbath bach i chdi, yn tydan ni, Catherine?'

'Ydan, William. Dyma chdi Hwal ngwashi, Dolig Llawan!'

Fe fyddai'r bocs yn cael ei drosglwyddo i Mam ac wedyn i Nhad, ac o'r diwedd i mi. Gallwn restru cynnwys y bocs heb i mi ei agor. Ond roedd rhwygo'r papur lliwgar yn ormod o demtasiwn. Menig gwlân, sgarff, bag o farblis gwydr lliwgar, pishyn swllt am actio Joseff, pwdin Dolig bychan gyda phishyn tair fel arfer yn cuddio yn ei ymysgaroedd yn rhywle, tanjarîn a chnau, a phêl rwber galed i'w chicio ar iard yr ysgol. A dyna'r seremoni ar ben, ar wahân i ddeud diolch wrth Nain a Taid, fel roedd Mam wedi deud wrtha'i am neud:

'DiolchynfawrNainaTaidamfodmorgaredigagobeithio gewchchiDdolig Llawen hefyd.'

Dyna'r Nadolig, fel 'dwi'n ei gofio fo'n hogyn bach. Gŵyl gyda Drama'r Geni yn y capel ac ymweliad Siôn Corn yn ganolog iddi. Roedd y garol gynta i mi ei sgwennu efo Caryl yn seiliedig ar Nadolig fy mhlentyndod:

Nadolig Llawen i chi i gyd
I deulu mawr y byd,
Yng nghanol sŵn y dathlu,
A oes 'na le i'r Iesu
Neu ydi'r llety'n llawn o hyd?

Dros y blynyddoedd mae'r Goeden Nadolig wedi tueddu i fwrw ei chysgod dros y crud, a'r goleuadau llachar wedi'n dallu ni i'r ffaith mai Gŵyl y Cofio ydi hi; nid yn unig cofio geni'r Iesu, ond cofio am y bobol fydd yn ddigartref ac yn ddiymgeledd ar strydoedd ein dinasoedd ni. Elin Fflur gyfansoddodd yr alaw.

Y Stori Fawr

'Gogoniant i Dduw' Canodd y côr ag un llef,
Crist ddaeth i'n byd draw ym Methlehem,
Dewch i'w addoli Ef.

Bugeiliaid liw nos wylient eu praidd ar y bryn,
Aethant ar frys draw i'r preseb llwm,
Plygu a syllu'n syn.

Cytgan
Bachgen bach diniwed
Yn cysgu 'mreichiau Mair,
Hwn yw'r gwir Feseia, Hwn yn wir yw'r Gair.

Dros anial dir, doethion a ddaethant i'r lle
Dan olau claer y seren wen, ganwyd Brenin Ne',
'Rôl tyfu yn ddyn, carodd y truan a'r tlawd.
Rhwymodd eu clwyfau a dangos i'r byd
Fod pob dyn yn frawd.

(Cytgan)

Cofiwn am ein cyd-ddyn
Nad oes iddo le heno i orffwyso
Ond strydoedd oer y dre.

Ar drothwy ei Ŵyl dyma ei neges i ni,
'Cofiwch, o wneuthur ohonoch i'r rhain,
Fe wnaethoch chi hyn i mi.'

Yn y gân Tywysog Tangnefedd, mae Dafydd Iwan yn ein cyhuddo ni yn y Gorllewin o fod yn rhagrithiol adeg y Nadolig. Ar y naill law fe ganwn gydag arddeliad fod 'Tywysog Tangnefedd yn dathlu'i benblwydd' ac ar y llaw arall...

Awn ninnau i'r siopau y Nadolig hwn
I brynu y tanciau, i brynu y gwn
A'u rhoi nhw i'r plantos a'u cyfarch yn rhwydd,
Mae Tywysog Tangnefedd yn dathlu'i benblwydd.

Lle bynnag mae 'na ryfeloedd yn y byd, Pacistan, Swdan, Syria, Yemen, Afghanistan, fe fydd bywydau plant mor ifanc â deuddeg oed yn cael eu haberthu y Nadolig hwn. Nid oherwydd eu bod nhw'n cael eu lladd gan y bomiau sy'n disgyn o'u cwmpas tra maen nhw'n chwarae'n ddiniwed gyda'u tanciau a'u gynnau plastig. Ond oherwydd fod plant mewn o leiaf deunaw o wledydd y byd yn ymladd gyda gynnau go iawn. Plant ydyn nhw sy'n cael eu gorfodi i ymladd, neu yn gwirfoddoli i wneud hynny, gyda bendith y rhieni oherwydd fod anfon eu plant i ryfela yn rhoi bwyd ar y bwrdd. Yn ôl tystiolaeth un o'r milwyr bychan hyn:

'Fe benderfynais i fynd i ryfel, oherwydd nad oedd dim bwyd yn y cartref, na chyfle i mi gael addysg chwaith. 'Rwy'n siŵr mai soldiwr fydda i. Does gen i ddim dewis. Dydw i ddim wedi cael hyfforddiant i wneud unrhyw beth arall. Does gen i ddim dewis.'

Yn ôl yr ystadegau diweddaraf mae chwarter miliwn o fechgyn a merched, yn ymladd ar hyn o bryd mewn rhyfeloedd o amgylch y byd, a degau o filoedd yn cael eu lladd bob blwyddyn. Canlyniad darllen y ffeithiau syfrdanol hyn yw'r gân er cof am Y Milwr Bychan.

Y Milwr Bychan

Fe'i rhwymwyd mewn cadachau, yn dyner gan ei dad
A'i gladdu yn y ddaear ar gyrion maes y gad,
Ar noson oer ddi-seren yng nghysgod muriau'r dre
Ni ddaeth gŵr doeth na bugail yn agos at y lle.

Un waedd! Un sgrech! Un fwled! Un arall yn y ffos
Yn gorwedd yno'n gelain dan amdo du y nos,
Un arall o'i genhedlaeth, yn hen, heb dyfu'n hŷn
Aeddfedodd cyn ei amser – yn ddengmlwydd ond yn ddyn.

Eu geni'n sŵn y gynnau a marw yn eu clyw
Yn aberth cenedlaethau yw'r rhai na chawsant fyw
I weld yfory'n gwawrio, i sefyll ar eu traed.
Mae enfys eu gobeithion yn unlliw gyda'u gwaed.

A yw hi'n hawdd anghofio fod bywyd plant mor rhad
Am fod y lladd yn digwydd ymhell o dir dy wlad?
Mor hawdd yw peidio gwrando, na syllu ar y sgrin
I fyw ei lygad dengmlwydd a gweld dy fab dy hun.

O Dduw! Wyt tithau'n fyddar i'r sgrechian ar y stryd?
A foddodd seiniau'r clychau y waedd o'r Trydydd Byd?
O! gwrando ar ein gweddi, Ti yr Anfeidrol Un,
A dyro i ni heddwch – er mwyn Dy Fab Dy Hun.

7.

Dagrau'r Glaw

Mae 'na luniau lliw yn fflachio ar feddalwedd cudd y cof,
Mae 'na fam a'i merch yn sefyll yn y glaw
Ac mae goleuadau neon oer yn gwaedu pyllau'r stryd
A siôl y ferch yn gorwedd yn y baw.
Mae pawb yn cerdded heibio'n syth heb droi i edrych draw
Heb falio dim na chynnig help i'r ddau,
Mae'r nos yn ddidrugaredd, ac mae'r bore'n hir yn dod
A'r unig sŵn yw sŵn y drysau'n cau.

Cytgan
O, dwi'n cofio'r noson honno,
Sêr yn wylo dagrau'r glaw,
Cofio teimlo fod y daith yn ddi-ben-draw.

Gwelaf lun o wyneb gwelw merch ifanc ddeunaw oed,
Llun o un nad wy'n ei 'nabod erbyn hyn,
Ar ei hwyneb mae 'na greithiau, yn ei llygaid dim ond poen,
Llygaid gwag fel pyllau du yn syllu'n syn.
Fi oedd honno yn y gwter. Ti oedd honno ar y stryd
Yn gwerthu'r cyffur gwyn. Ti oedd yr un,
Ti oedd ffynnon fy ngobeithion,
Ti y creithiau ar fy nghroen
Yn yr hunlle rydwi'n dal i weld dy lun.

Cytgan
O, dwi'n cofio'r noson honno,
Sêr yn wylo dagrau'r glaw,
Cofio teimlo fod y daith yn ddi-ben-draw,
Cofio teimlo fod y daith yn ddi-ben-draw...

Fedra'i ddim cofio pa eisteddfod oedd hi; ond ta waeth am hynny, mae hi sawl blwyddyn yn ôl erbyn hyn. Roeddwn i ar y llwyfan mewn pabell ar Faes y Genedlaethol mewn sesiwn Cwestiwn ac Ateb. Ac fe saethwyd y cwestiwn fel bwled o gefn y babell gan ŵr gydag acen ddeheuol:

'Gwêd wrthon ni Gwynfryn, shwd es di mor bell ar gyn lleied o dalent?'

Fe syllais i gefn y babell i gael golwg iawn ar wyneb yr holwr. Na! Nid Geraint Lloyd! Cwestiwn annisgwyl a deud y lleia. Dwi'n credu i mi chwerthin yn nerfus a cheisio esbonio fy mod i'n darlledu ers rhyw ddeuddeg mlynedd ac nad oedd hynny ddim yn golygu mynd yn bell o gwbwl. Petai rhywun yn gofyn y cwestiwn yna i mi heddiw, gallwn ateb mewn un gair: Lwc.

Rydw'i wedi bod yn lwcus iawn ar hyd fy oes. Rhyw fis cyn fy ngeni, fe benderfynais i na faswn i ddim yn dŵad i mewn i'r hen fyd yma yn y dull confensiynol, ond yn hytrach drwy wthio fy nhraed allan gyntaf gyda'r pen yn dilyn. Poenus i Mam, ond lwcus iawn i mi, achos 'dwi wedi glanio ar fy nhraed yn broffesiynol ac yn bersonol byth ers hynny.

Yn naw oed, fe fyddwn i weithiau'n mynd yn llaw Mam ar fws Crosville o Langefni i Fangor ac yn treulio'r diwrnod yn stiwdio radio'r BBC yn Neuadd y Penrhyn yn gwylio Mam yn actio. Un diwrnod fe ddaeth y cynhyrchydd Wilbert Lloyd Roberts – tad Cwmni Theatr Cymru, a thaid y gantores dalentog Alys Williams – at Mam a gofyn iddi hi a wyddai hi am hogyn bach o gwmpas y deg oed fasa'n medru chwarae rhan Glyn Bach mewn cyfres newydd sbon. Opera sebon oedd hi o'r enw *Teulu'r Siop*.

Lwc oedd yn gyfrifol 'mod i'n digwydd bod efo Mam yn y stiwdio'r diwrnod arbennig hwnnw. Ac fe ges i gyfle gan Wilbert i ddarllen rhan Glyn Bach yn y stori, a chael y rhan hefyd. Fy nghyfle cyntaf i fod yn berfformiwr proffesiynol, a hynny am ddeg swllt a chwecheiniog yr wythnos. Ffortiwn bryd hynny oherwydd yn y pumdegau am ddeg a chwech fe allech chi brynu tŷ tair stafell wely, *Jaguar XK140* a chael gwyliau i dri yn Sbaen. A dau swllt o newid nôl am hynny. Tawn i heb fynd efo Mam y diwrnod hwnnw, faswn i ddim wedi cael y rhan. Wrth lwc, roeddwn i yn y lle iawn ar yr adeg iawn.

Ar ddiwedd fy ngyrfa yn Ysgol Uwchradd Llangefni, fe synnwyd pawb, a fi yn fwy na neb, pan lwyddais i basio Cymraeg, Saesneg ac Ysgrythur Safon Uwch gyda graddau reit barchus – tair 'B'. (Blydi Boi Brainy oedd ymateb tafod ym moch un o fy ffrindiau). Roeddwn i eisoes, cyn y canlyniadau, wedi gwneud cais ac wedi cael fy nerbyn gan Goleg Cerdd a Drama Caerdydd. Ond ar ôl fy llwyddiant academaidd gwyrthiol oedd yn cael ei gymharu, tu ôl i ddrysau academia, i orchest Moses yn agor llwybr drwy'r Môr Coch, cyhoeddodd fy mhrifathro y byddai carped coch yr un hyd â'r Prom yn Aber yn fy aros petawn i'n newid fy meddwl ac yn mynd yno i'r Brifysgol. Ond yn lwcus iawn, penderfynais ddilyn fy ngreddf a mynd i lawr i Gaerdydd, lle treuliais i rai o flynyddoedd hapusaf fy mywyd.

'Cwympais mewn cariad â Chaerdydd, cariad nad yw byth wedi oeri.' Nid fy ngeiriau i, ond maen nhw'n crynhoi mewn brawddeg gryno fy nheimladau innau tuag at y brifddinas. R.T. Jenkins, yr hanesydd, ydi'r awdur. Fe ddaeth o i Gaerdydd yn 1917 i fyw yn 24 Lôn Dail, Rhiwbeina – y drws nesaf i W.J. Gruffydd, a hynny ar waethaf rhybudd O.M. Edwards: 'Peidiwch â mynd yno ar unrhyw gyfrif – ma' nhw'n ymladd fel cŵn.'

Efallai'n wir mai felly roedd hi ganrif yn ôl, ac yn wir felly mae hi o hyd ar bnawn Sadwrn pan mae Caerdydd yn chwarae Abertawe. Os ydych chi eisiau barn gytbwys a theg am Gaerdydd, peidiwch â gofyn i mi. Dw'i mor ddall i unrhyw ffaeleddau sydd gan ein prifddinas ag ydi cefnogwyr y Scarlets i ragoriaethau unrhyw dîm arall yn y byd ond eu tîm nhw. Ar wahân i saith mlynedd yn y gaethglud ym Mhrestatyn yn ystod y nawdegau, bu Caerdydd yn ddinas barhaus i mi am drigain a dwy o flynyddoedd. Yma y ganwyd fy mhlant, saith ohonyn nhw, a phump o wyrion. Ac yma y ces i fy swydd gynta gyda'r BBC ym 1964 – drwy lwc.

Does yna ddim gwirionedd yn y gred gyfeiliornus fod y BBC wedi aros nes i mi orffen yn y coleg ym 1963 cyn cychwyn gwasanaeth teledu BBC Cymru ym mis Chwefror 1964. Ond wedi dweud hynny, cwta chwe mis yn ddiweddarach roeddwn i'n aelod o dîm *Heddiw*, y rhaglen deledu ddyddiol ar BBC Cymru. A sut ces i'r swydd? Wel, unwaith eto, drwy lwc a thrwy fod yn y lle iawn ar yr adeg iawn.

Y lle iawn oedd tafarn y Borough Arms, tu ôl i'r bar ac yn gweini bwyd wrth y byrddau am bunt y shifft. Roeddwn wedi cael swydd i fynd iddi ar ôl gorffen yn y coleg, swydd fel Pennaeth Adran Ddrama newydd sbon yn Ysgol Uwchradd Mynydd Cynffig. Ac roeddwn wedi penderfynu aros yng Nghaerdydd am ychydig fisoedd yn hytrach na mynd adre i Fôn. O'r herwydd, ar y noson dyngedfennol honno ym mis Gorffennaf 1964, roeddwn i'n gweini bwyd i griw bywiog wrth un o'r byrddau pan ofynnwyd i mi gan un ohonyn nhw pam oeddwn i yng Nghaerdydd ac yn blaen. Fe adroddais ychydig o fy hanes.

'Wel, wel' meddai un ohonyn nhw, neb llai na Nan Davies, cynhyrchydd oedd yn cael ei chydnabod fel un o arloeswyr darlledu yng Nghymru. 'Ife chi yw Hywel Evans oedd yn arfer dod i'r stiwdios ym Mangor gyda'ch Mam?' Atebais yn gadarnhaol, ac ar ddiwedd y noson fe ofynnodd i mi fynd am gyfweliad a phrawf sgrin i stiwdios y BBC ymhen y mis.

Roedd y stiwdios yn y rhan o Gaerdydd sy'n cael ei hadnabod fel Broadway. 'If you can make it there, you'll make it anywhere, its up to you New York New York'. Wel, ddim yn hollol. Ond roedd y lwc yn parhau, oherwydd ar ddiwedd y cyfweliad fe'm galwyd i fyny gan Nan Davies i'r oruwch ystafell, ac yno y ces i'r cynnig a fyddai'n newid cwrs fy mywyd, unwaith eto. Ond y tro hwn yn ei newid yn llwyr unwaith ac am byth.

'Fe hoffwn i chi ymuno â thîm *Heddiw*,' meddai. 'Ac fe alla'i gynnig tri mis o waith i chi, a gawn ni weld shwd bydd pethe wedyn.' Hynny ydi, roedd yn rhaid i mi ddewis rhwng sicrwydd swydd am oes yn dysgu ym Mynydd Cynffig neu ansicrwydd tri mis o waith. Ac wedyn beth?

'Fedra'i ddim cynnig sicrwydd i chi,' medde hi, 'ond mi fedra'i roi cyfle i chi fod yn rhan o ddatblygiad pwysig iawn yn hanes adloniant yng Nghymru.' Roedd y sefyllfa yn debyg iawn i'r sefyllfa mae Robert Graves yn ei disgrifio yn un o'i gerddi:

Two roads converged in a wood, and I
Took the one less traveled by
And that has made all the difference.

Roeddwn i'n sefyll ar y groesffordd a'm traed ar y ffordd i Fynydd Cynffig, a Nan Davies yn ceisio fy mherswadio i newid cyfeiriad a theithio ar hyd ffordd ddieithr, ffordd na wyddwn i'n iawn i ble roedd hi'n arwain. Erbyn hyn fe wn yr ateb. Fe wn i mi wneud y penderfyniad iawn drigain mlynedd yn ôl. Ac wrth gwrs tydw i ddim wedi teithio ar hyd y ffordd honno ar fy mhen fy hun. Cefais gwmni cydweithwyr cefnogol, cynhyrchwyr creadigol, ymchwilwyr craff ym myd teledu a radio, a theulu amyneddgar a chariadus.

Tydw i ddim yn cau pen y mwdwl! Mae 'na fwy! Anfonaf Eiriau ydi teitl y llyfr yma ac fe fyddai'n meddwl yn aml, 'taswn i wedi talu mwy o sylw yn y gwersi-piano-ar-ôl-ysgol efo Mrs Kyffin Morris pan o'n i tua 10 oed, ella y baswn i wedi dysgu digon i gyfansoddi alawon fy hun. Gyda llaw, ar ôl rhyw ddeng munud o wers efo Mrs Morris, fe fyddai hi'n mynd allan o'r stafell i wneud paned yn y gegin drws nesa. Yna os byddwn i'n gwneud camgymeriad ar y piano, fe fyddai hi'n gweiddi,

'No! No! Hywel. Wrong fingering. How many times! It's the third finger on the G sharp not the second.'

Wn i ddim hyd heddiw sut roedd hi'n medru gweld pa fysedd oeddwn i'n eu defnyddio o gofio mod i yn y parlwr a hitha yn y gegin. Beth bynnag, dwi'n reit falch ar ryw ystyr mod i wedi rhoi'r gorau i'r piano. Achos tawn i wedi dyfalbarhau ella baswn i wedi dysgu'n ddigon da i sgwennu alawon i ganeuon yn ogystal â geiriau. Ond byddai hynny'n golygu y baswn i wedi colli'r hwyl a'r pleser o weithio efo Caryl a Robat Arwyn.

Fe sgwennodd Robat Arwyn a finna sioe am Blas Du, y plas lle'r oedd yna bobol ryfedd iawn yn cerdded o gwmpas y lle. A meirw byw yn y seler yn mynd o gwmpas yn canu 'Dwi jest â marw isio byw.' Mae un o'r caneuon o'r sioe yn cael ei chanu yn weddol aml ar lwyfan yr eisteddfod, ac wedi ymddangos mewn sawl Rhestr Testunau eisteddfodol. Y gân honno ydi 'Dagrau'r Glaw'.

8.

Y Lodes Las

Merch ifanc un ar bymtheg oed sydd yn y llun mewn gwisg sidan las, fel lapis lazuli, chwadal Meic Stevens. Boned fechan yn eistedd yn daclus ar ben o wallt brown tywyll cyrliog, a gwên chwareus yn dawnsio yn ei llygaid. Dim ond y hi sydd yn y llun. Neb arall. Neb na dim. Dim bwrdd, gwely na chadair na chwpwrdd na ffenest na lluniau ar y waliau moel.

Mae ein llygaid wedi eu hoelio ar y ferch ifanc sy'n syllu arnon **ni**, yn syllu arni **hi**, yr actores ifanc Henriette Henriot. Os na fyddai gwaith iddi fel actores, fe wyddai y byddai Pierre-Auguste Renoir yn fwy na hapus i'w chroesawu i'w stiwdio unwaith eto i fod yn fodel ar gyfer ei lun nesa. Fe welwyd y llun yma, 'La Parisienne' am y tro cyntaf yn 1874 mewn arddangosfa ym Mharis, drws nesa i luniau gan Monet, Cézanne, Pissaro, Manet ac aelodau blaenllaw o'i ysgol arlunio newydd a oedd yn mynd i greu chwyldro arall yn Ffrainc a thrwy'r byd gorllewinol ar ddiwedd y 19eg ganrif.

'Meddyliwch, y fath hyder a'r fath hyfdra sydd gan y rhain,' medda un beirniad. Does 'na ddim ymdrech i dalu gwrogaeth i arlunwyr y gorffennol yn eu lluniau chwaith. Ac maen nhw wedi troi eu cefnau ar y Beibl fel ffynhonnell ysbrydoliaeth. Mae rhai ohonyn nhw yn peintio allan yn yr awyr agored ym mhob tywydd. Y môr, y parc, y coed a'r llynnoedd yn llawn o lilïau'r dŵr. A dyna yw testunau eu lluniau nhw, ac ambell i ferch noethlymun yn gorweddian ar y glaswellt ar lan yr afon. Pobol gyffredin yn byw bywyd cyffredin yn ogystal â bywyd gwyllt a gwallgo strydoedd cefn Paris a llwyfan lliwgar y Moulin Rouge.'

Gydag un cyffyrddiad o frwsh ar gynfas gallent greu argraff o'r haul yn machlud yn goch ar wyneb y dŵr. Rhain oedd yr Argraffiadwyr – yr 'Impressionists'. Ond doedd yr argraff gafodd eu lluniau ar y cyhoedd ddim yn un ffafriol o gwbl ar y cychwyn. Fe gafodd eu gweithiau eu gwawdio a'u difrïo pan welwyd hwy am y tro cyntaf. Ond ymhen hir a hwyr, pan oedd pob beirniadaeth drosodd a phawb yn canu clodydd Renoir a'i debyg fe gafodd eu gweithiau eu cydnabod fel un o'r datblygiadau pwysicaf yn hanes arlunio'r Gorllewin ers canrifoedd. Ganol yr ugeinfed ganrif fe werthwyd llun o waith Renoir am $71 miliwn. Ond cofiwch, roedd y ffrâm yn gynwysedig yn y pris!

A beth fu hanes Henriette Henriot, y ferch mewn glas yn y llun? Erbyn troad yr ugeinfed ganrif roedd 'La Parisienne' ar werth mewn ocsiwn yn Llundain, ac fe'i prynwyd gan Gymraes – Gwendoline Davies. Roedd hi a Margaret ei chwaer yn wyresau i'r diwydiannwr cyfoethog David Davies Llandinam. A gyda rhan o'r arian a adawyd i Gwendoline yn ewyllys ei thaid, sef £30 miliwn o bunnau, fe brynodd y llun gan Renoir am £5,000 – hanner miliwn o bunnau ym mhres heddiw. Ond fe'i prynodd nid er mwyn harddu un o waliau'r plas yn Llandinam. Fe'i prynodd yn hytrach fel canolbwynt i gasgliad rhyfeddol o waith yr Argraffiadwyr ac arlunwyr pwysig eraill sydd yn yr Amgueddfa Genedlaethol yng Nghaerdydd. Teimlai Gwendoline a Margaret mai eu dyletswydd oedd defnyddio arian eu tad-cu er mwyn cyfoethogi diwylliant Cymru a chyfrannu'n helaeth at gefnogi elusennau o bob math.

A dyma fi, gan mlynedd a mwy yn ddiweddarach yn syllu ar lun Y Lodes Las mewn cyfrol gan y darlledwr Trefor Fishlock yn cofnodi hanes bywyd rhyfeddol y ddwy chwaer. O dan y llun ar ddarn o bapur mae dau air a marc cwestiwn: 'Sioe Gerdd?' Roeddwn i wedi teimlo ers dipyn, yn enwedig ar ôl i 'Anfonaf Angel' gael cymaint o sylw ac ymateb cadarnhaol, y byddai gweithio gyda Robat Arwyn ar broject estynedig yn hwyl ac yn her.

Roeddem wedi cyd-sgwennu sioe gerdd o dan y teitl 'Plas Du', ac wedi llwyddo i barhau yn ffrindiau. Felly dyma godi'r ffôn ac awgrymu y gallem gystadlu am gomisiwn gan yr

Eisteddfod Genedlaethol i gyfansoddi sioe gerdd am Gwendoline a Margaret. Sioe fyddai'n mynd â ni yng nghwmni'r chwiorydd o Gymru i Baris a'r Moulin Rouge, ac o gaeau gwyrddion Plas Llandinam yng nghanolbarth Cymru i ganol mwd a gwaed ffosydd drewllyd y Rhyfel Byd Cyntaf yn Ffrainc. Roedd ymateb Arwyn yn gadarnhaol. Felly dyma gysylltu gyda'r Steddfod a deall y byddai gweithdy yn cael ei gynnal lle byddai cyfle i unrhyw un gystadlu am gomisiwn drwy gyflwyno'r sioe â thair cân. Fe wyddwn o'r gorau pa un fyddai'r gân gyntaf.

Mae'r llwyfan yn dywyll ar wahân i bwll o olau yn y canol a bwrdd bychan crwn ar yr ochr chwith gyda dwy gadair. Fe glywir sŵn sisial pobl yn siarad yn y cefndir yn gymysg â cherddoriaeth dawel sy'n gyflwyniad i'r gân. Yng nghanol y pwll o olau mae'r llun wedi ei orchuddio â lliain. Daw Gwendoline i mewn. Tra'n canu'r llinell gyntaf mae hi hefyd yn dadorchuddio darlun o'r Lodes Las. O ran maint mae'r llun yn saith troedfedd wrth bedair, wedi ei fframio mewn aur a'i osod ar lwyfan bychan gyda thair gris o'i flaen. Yn y gwyll, fydd y gynulleidfa ddim yn sylweddoli, gobeithio, mai merch go iawn wedi ei gwisgo fel Henriette sydd yn y ffrâm.

La Parisienne

Un bore ym Mharis fe'i gwelais a syrthiais mewn cariad
Â'r ferch yn y wisg oedd yn las fel yr awyr ei hun,
Ni allwn ond aros a syllu yn syn a rhyfeddu
At ddawn yr arlunydd a greodd berffeithrwydd mewn llun.

Fe dreiddiodd ei llygaid ymchwilgar i ddyfnder fy enaid
A'm dilyn yn araf lle bynnag y mynnwn i droi,
Ac fel pe mewn breuddwyd, rown i yn garcharor i'w harddwch,
O afael y ferch â'r wisg sidan ni allwn i ffoi.

Cytgan
La Parisienne, dwed dy hanes,
Ydi o'n wir mai actores wyt ti?
Merch ifanc ac eto yn ddynes,
La Parisienne – pwy wyt ti?

Cerddoriaeth yn parhau wrth i'r ferch mewn glas yn y llun ddod yn fyw a cherdded i lawr y grisiau i freichiau Gwendoline. Maen nhw'n dawnsio tra mae'r llen yng nghefn y llwyfan yn codi i ddatgelu'r corws mewn oriel ddarluniau yn gwylio Gwendoline yn dawnsio. Tra mae Gwendoline yn canu'r pennill nesaf mae'r ferch mewn glas wedi dianc o'i breichiau ac yn eistedd gyda dau arall wrth y bwrdd yn yfed gwin ac yn mwynhau ei hun.

Gwendoline

Bob nos mae'n cael cwmni ei ffrindiau i ddadlau a thrafod
Dros botel o win yn y dafarn ar gornel y stryd
Gyda chriw o arlunwyr bohemaidd yn siarad yn uchel
Am y chwyldro ar strydoedd Montmartre fydd yn newid y byd...

Corws:
La Parisienne, dwed dy hanes,
Ydi o'n wir mai actores wyt ti?
Merch ifanc ac eto yn ddynes.
La Parisienne – pwy wyt ti?

Yn ystod y corws mae'r ferch mewn glas wedi gadael y bwrdd ac wedi camu fyny'r grisiau a chamu'n ôl i mewn i'r darlun ohoni. Mae'r golau ar y corws hefyd yn diffodd yn araf fel maen nhw'n ailadrodd y cytgan. Bellach mae'r llwyfan yn wag ar wahân i Gwendoline, sy'n camu i flaen y llwyfan i ganu'r pennill olaf yn uniongyrchol i'r gynulleidfa.

Gwendoline

Yng nglesni yr awyr ddigwmwl uwch ben Plas Llandinam
Fe welaf ei hwyneb yn gwenu a theimlaf yr ias
A deimlais ym Mharis wrth syrthio mewn cariad â'r darlun
O'r ferch oedd mor brydferth mewn gwisg mor nefolaidd o las.

Cytgan
La Parisienne dwed dy hanes...

Yn ystod y gytgan mae'r golau ar wyneb Gwendoline yn diffodd yn araf. Y syniad yw cyfleu mai breuddwyd oedd y cyfan.

Erbyn 1924 roedd Gwendoline a Margaret wedi casglu dros 250 o weithiau gan yr Argraffiadwyr, y casgliad mwyaf drwy Brydain ar y pryd, ac wedi eu cyflwyno i'r Amgueddfa Genedlaethol. Doedd yna ddim pall ar eu haelioni oedd yn deillio nid o'r awydd am glod personol am eu gwaith ond oherwydd awydd y ddwy i ddefnyddio'u cyfoeth i gefnogi eraill, yn unigolion a sefydliadau Cymreig.

Fe sefydlon nhw wasg enwog yng Ngregynog, a Gŵyl Gerddorol a Llenyddol oedd yn denu rhai o enwau mawr byd y ddrama a cherddoriaeth fel Adrian Boult, VaughanWilliams, Edward Elgar, a George Bernard Shaw. Cafodd Dora Herbert Jones nawdd ariannol tuag at ei gwaith yn casglu alawon gwerin. Sefydlwyd Athro Cerdd Gregynog yn y Brifysgol yn Aberystwyth gyda'u cefnogaeth. A derbyniodd y Llyfrgell Genedlaethol yn Aberystwyth rodd o £1,000 y flwyddyn (£100,000 heddiw) er mwyn ei galluogi i brynu llyfrau prin a llawysgrifau o'r Oesoedd Canol. Gwnaed y rhodd hon, fel nifer o'u rhoddion, yn ddienw.

Roedd yr awydd diddiwedd i gynorthwyo pobol yn ymestyn tu draw i ffiniau Cymru. Ac ar ôl iddyn nhw wirfoddoli i fod yn nyrsys gyda'r Groes Goch yn y Rhyfel Byd Cyntaf cawsant eu danfon i bentref Troyes oedd wedi ei leoli yn beryglus o agos i'r rheng flaen yn Verdun. Addaswyd hen gwt ganddyn nhw yn gaffi er mwyn cynnig bwyd ac ymgeledd i'r milwyr oedd wedi eu hanafu yn y frwydr. Mewn llythyr a anfonwyd yn ôl i Gymru mynegodd Gwendoline ei phryder:

'Mae'r dasg yn enfawr, a'r sialens o gael digon o bobl i'n cynorthwyo yn anodd iawn. Ond fe wnawn ein gorau, ac fe wnawn ni lwyddo.'

Mae'r gân nesaf yn dychmygu golygfa yn y caffi sy'n llawn o filwyr blinedig wedi eu hanafu. Am ychydig ddyddiau, fe gawn nhw gyfle i orffwyso cyn cychwyn yn ôl i ganol y frwydyr.

Deuawd Gwendoline a Margaret. Lleoliad: Cantîn i filwyr ym mhentref Troyes 90 milltir o Baris.

Yn yr olygfa flaenorol fe fyddwn wedi gweld golygfa rhwng y ddwy chwaer a hwythau wedi derbyn llythyr yn Llandinam o faes y gad i ddweud fod eu cefnder Edward wedi marw mewn brwydr yn y Dardanelles. Dyma'r llythyr wnaeth ysgogi'r ddwy i fynd allan i Ffrainc i weithio'n wirfoddol gyda'r Groes Goch.

Mae'r llwyfan nawr mewn tywyllwch. Fe glywn sŵn gynnau yn cael eu tanio a milwyr yn gweiddi. Mae'r sŵn yn parhau wrth i'r llwyfan gael ei oleuo'n llwyr. Ac fe welwn ar y gefnlen y llun enwog o wyneb Lord Kitchener yn ei lifrai milwrol a'i fys yn pwyntio'n fygythiol. Fe glywn sŵn llais yn llefaru'r geiriau enwog o dan y poster drosodd a throsodd:
YOUR COUNTRY NEEDS YOU!
Yn araf mae'r cyflwyniad i ddeuawd Gwendoline a Margaret yn cychwyn yn dawel, a'r lleisiau sy'n bloeddio YOUR COUNTRY NEEDS YOU yn distewi yr un modd fel mae rhes o filwyr wedi eu hanafu yn llusgo'u hunain i'r llwyfan. Maent yn eistedd ar gadeiriau wedi eu gosod yma ac acw o gwmpas byrddau bychain yn y Cantine Des Anglais lle mae'r ddwy chwaer yn cynnig cysur, cawl, coffi a sigaréts i'r milwyr blinedig yng nghanol y llwyfan o dan y poster recriwtio.

Milwyr

Fechgyn ifanc dewch i'r frwydyr
Dewch yn llu i faes y gad,
Dewch i ymladd dros eich Arglwydd,
Dewch i farw dros eich gwlad...
O bulpudau ein capeli
Taniwyd geiriau'r neges hon,
Geiriau'r Caplan yn ei lifrai,
Geiriau gŵr y goler gron.*

(*Y Parchedig John Williams Brynsiencyn, Caplan i Lloyd George fu'n recriwtio pobol ifanc i'r Welsh Army)

Daw'r ddwy chwaer i mewn wedi eu gwisgo fel dwy nyrs. Maen nhw'n cerdded rhwng y byrddau ac yn oedi i rannu geiriau o gysur efo'r milwyr. Mae'r gerddoriaeth yn parhau fel 'gwely' cerddorol o dan yr olygfa fach yma ac yn ein harwain at y ddeuawd, gyda'r milwyr fel corws.

Gwen: Mae'r ofn yn eu llygaid i'w weled mor glir.
Margaret: Ac eraill heb lygaid i weled.
Gwen: Mewn gwewyr dirdynnol na ddaw fyth i ben
Drwy uffern hunllefus yn cerdded.
Y Ddwy: Beth allwn ni gynnig i leddfu eu poen
Ond geiriau o gariad a gweddi?
'O Dduw, cofia'n dyner am aberth y rhai
Adawsant eu tyddyn a'u teulu.'

Milwr

Mae'n rhy hwyr am air o weddi
A chyn hir fe dyrr y wawr,
Ni all cri'r un weddi heno
Foddi sŵn y gynnau mawr.

Margaret a Gwen

Daw miloedd ar filoedd i'r lladdfa bob dydd
I drengi ym mlodau eu dyddiau,
Y nhw'n bymtheg oed oedd dyfodol ein gwlad
Ond bellach fe wywodd y blodau;
Ac eto ni allwn ni nawr droi ein cefn,
Fe'n magwyd i gofio Ei eiriau
'Yn gymaint â'i wneuthur ohonoch i'r rhain,
Fe'i gwnaethoch o'ch gwirfodd i minnau.'

Milwr

Ac fe wnaethom ninnau'n gorau,
Diodde'r artaith, diodde'r boen,
Marw filwaith yn y ffosydd
Er mwyn rhyfel mawr yr Oen.

Margaret a Gwen a'r Milwyr

(Yn ystod y gân mae'r milwyr yn gadael y llwyfan yn araf gan
adael Margaret a Gwen ar eu pennau eu hunain.)

Mae'n rhy hwyr am air o weddi
A chyn hir fe dyr y wawr,
Ni all cri'r un weddi heno
Foddi sŵn y gynnau mawr,
Foddi sŵn y gynnau mawr.

Y llwyfan mewn tywyllwch ar wahân i bwll o olau ar
Margaret a Gwen yn edrych i fyny i'r 'awyr' mewn ofn tra
mae'r gerddoriaeth yn dod i ben. Yna heb rybudd fe glywn
sŵn ffrwydrad gerllaw yn dryllio'r tawelwch a'r golau ar
wynebau'r ddwy chwaer yn diffodd yn sydyn.

Weithiau pan fyddai'r ddwy chwaer yn mynd ar daith i Ewrop, fe fyddai eu brawd David yn mynd efo nhw fel 'chaperone' i gadw golwg arnyn nhw. Nid fod angen iddo eu gwarchod rhag bechgyn ifanc gor-ramantus Paris gan mai gweld lluniau, prynu lluniau ac astudio lluniau oedd eu hunig ddiddordeb ar eu teithiau Ewropeaidd. Ond mae'r gân olaf yn dychmygu sefyllfa lle mae'r ddwy chwaer wedi prynu lluniau, ac wedi dychwelyd i'r gwesty i'w hastudio. Mae David fodd bynnag wedi penderfynu mwynhau am un noson. Lle gwell i fynd am botelaid o'r 'vin rouge' a chwmni afieithus ond i'r Moulin Rouge i gyfarfod rhai o'r arlunwyr bohemaidd a merched y Can-can?

Hei! Dyma Gay Paree
Dinas llawn hwyl yw hi,
Gwin coch a gwyn, neu yn wir vin de table,
Sdim lle fan hyn i'r Les Miserables
Caru yng ngolau'r lloer,
Sdim ots os yw hi'n oer,
Mae gen i arian i brynu cot ffwr
Je suis yn entrepreneur.

Mae o'n cerdded rhwng y byrddau yn canu i'r merched.

Ddoi di am dro Mamselle
Lawr at y Tŵr Eiffel
Ffolais yn llwyr ar dy gwmni Claudette
Picnic i ddau fromage et baguette.
Cariad yw hyn dwi'n siŵr,
Pleser yw'r Plaisir d'Amour
Os cawn ni'n dal gan dy ŵr, wel, 'na ni,
Ma cherie – C'est la vieeeeeeee.

Dal y nodyn ar y diwedd ac mae'r gerddoriaeth yn newid o sŵn yr acordion yn chwarae 'Bridges of Paris' i sŵn y Can-

can swnllyd. Miwsig y Can-can, merched yn dawnsio i mewn a David yn canu.

Pawb i gicio'u coese fyny
Fel y merched. Wnewch chi synnu?
'Sdim yn well na chodi'ch coese.
Os y'ch chi am golli pwyse.
Dyma ddawns lle mae 'na angen
Mwy o wynt na dawns y glocsen,
Anodd iawn yw peidio chwerthin,
Mwy o hwyl na dawnsio gwerin.
Moulin Rouge yw man cyfarfod
Pawb ym Mharis sydd yn gwybod
Fod y dawnsio'n anghredadwy,
Fe gewch noson fythgofiadwy

Manet, Cézanne,
Claude Monet a Paul Gaugin,
Toulouse Lautrec
Weithia'n galw – jyst am sbec.
Auguste Renoir
Wedi yfad mwy na'i siâr,
Matisse, Seurat
Yn mwynhau yr Ŵ-la-la!

Y Can-can yn stopio. Pawb yn rhewi am hanner eiliad, ond ddim digon hir i'r gynulleidfa gymeradwyo. Yr acordion yn mynd â ni yn ôl i'r gân wreiddiol. Y dawnswyr yn ymlacio tra mae David yn dal i ganu clodydd Paris.

Hey! Dyma Gay Paree,
Dinas llawn serch yw hi.
Un noson dywyll fe roddais i sws i (oedi a gwenu)
Ddynes yn perthyn o bell i Debussy.

(Y dawnswyr yn ochneidio ar ôl clywed yr odl rhwng 'sws i' a 'Debussy'.)

Cusan â'i blas fel gwin,
Nage yn wir myn dyn,
Cusan yn blasu fel dwn i ddim be

Mae o'n stopio. Yn meddwl. Yn codi ei fys. Mae o wedi cael yr ateb.

Ie! Fel crème brûlée.

Edward, cyn mynd i'r pennill nesaf yn galw pawb ato, fel petai o eisiau dweud cyfrinach wrth ei ffrindiau newydd.

Dowch yma. Glywsoch chi'r stori am Bonaparte?
Pawb: Naddo!
Edward: Naddo wir?
Edward: NADDO!
Edward: Wel...
Napoleon a Josephine
Wedi bod ar y gwin
'N caru un noson ar lannau y Seine.

Pawb yn rhyddhau ochenaid sy'n mynegi pryder am yr hyn mae am ei ddweud am arwr mwyaf Ffrainc.

Disgynodd 'rhen Bony i'r dŵr dros ei ben.

Ochenaid arall o ryddhad, a chwerthin.
Edward: (Yn canu fel dipyn o snob a'r acordion wedi arafu.)

Ffrindiau, dw'i ddim yn rhy ffond
O falwod na garlleg chwaith
OND...
Merched Paris yn brunette neu yn blonde,
Rwy'n caru Tout le Monde
CAN-CAN
Pawb i gicio'u coese fyny
Fel y merched. Wnewch chi synnu
Sdim yn well na chodi'ch goese.
Os ych chi am golli pwyse.
Dyma ddawns lle mae 'na angen
Mwy o wynt na dawns y glocsen,
Anodd iawn yw peidio chwerthin,
Mwy o hwyl na dawnsio gwerin.
Moulin Rouge yw man cyfarfod
Pawb ym Mharis sydd yn gwybod
Fod y dawnsio'n anghredadwy
Fe gewch noson fythgofiadwy,
CAN-CAN
Manet, Cézanne,
Claude Monet, a Paul Gaugin
Toulouse Lautrec
Weithia'n galw – jyst am sbec.
Auguste Renoir.
Wedi yfad mwy na'i siâr.
Matisse, Seurat
Yn mwynhau yr (ymestyn) yr Ŵ...LA...LA
Ac wedyn gweiddi
AU REVOIR!

9.

Anfonaf Angel

Mae hymian hwyr y ddinas yn fy neffro,
Am eiliad rydwi'n credu dy fod yno,
A chlywaf alaw isel,
Dy lais yn galw'n dawel
'Anfonaf angel i dy warchod di.
Anfonaf angel i dy warchod heno,
Anfonaf angel i'th gysuro di.'
Mae sŵn dy lais yn ddigon
I chwalu'r holl amheuon,
'Anfonaf angel atat ti.'

Ac ambell waith, yng nghanol berw bywyd
Rwy'n teimlo'n unig ac yn isel hefyd,
Ond pan wyf ar fy ngliniau
Fe welaf drwy fy nagrau
Gan gofio'r geiriau ddwedaist wrtha i,
'Anfonaf angel i dy warchod heno,
Anfonaf angel i'th gysuro di,'
Mae sŵn dy lais yn ddigon
I chwalu'r holl amheuon,
'Anfonaf angel atat ti.'

Ti yw yr angel sydd yma'n wastadol
Yn gofalu amdanaf, ble bynnag y byddaf;
Ti yw fy angel, fy angel gwarcheidiol,
Dwi'n cofio'r geiriau ddwedaist wrtha i,
'Anfonaf angel i dy warchod heno,
Anfonaf angel i'th gysuro di.'
Mae sŵn dy lais yn ddigon
i chwalu'r holl amheuon,
Anfonaf angel atat ti.

Cyd-ddigwyddiad llwyr yw'r ffaith fy mod i, ar Hydref 6ed 2021, yn cychwyn pennod am ddwy gân a ysgrifennais i fy ngwraig Anja. Dim ond ar ôl cychwyn ar y gwaith wnes i sylweddoli fod yna arwyddocâd go arbennig i'r diwrnod. Ar y dyddiad yma dair blynedd yn ôl yn oriau mân y bore, gyda Huw, un o fy meibion, yn gwmni i ni, y ffarweliais i â hi – dros dro.

Anja oedd yr ysbrydoliaeth ar gyfer 'Anfonaf Angel', yn ogystal â chân fwy diweddar a ysgrifennwyd yn ystod y cyfnod Covid. Yn aml iawn (iawn, iawn hefyd) byddai hi'n tynnu fy nghoes ac yn awgrymu gyda gwên ddireidus yn ei llygaid y buaswn wedi sgwennu ail gân iddi ymhell cyn hynny petawn i'n ei charu hi o ddifri. Chydig wyddai'r naill na'r llall ohonom bryd hynny mai ei brwydr ddewr yn erbyn canser dros gyfnod o ddwy flynedd a fyddai'n ysgogi'r ail gân – y gân na chafodd hi fyw i'w chlywed.

Mae'r gân 'Fel Hyn am Byth' yn ddilyniant naturiol i 'Anfonaf Angel'. Er bod marwolaeth Anja wedi'n gwahanu ni'n gorfforol, ni lwyddodd i'n gwahanu'n ysbrydol. Doedden ni ddim yn hapus o gwbwl pan oeddan ni ar wahân, hynny weithiau am gyfnodau hir oherwydd natur fy ngwaith. Dros y blynyddoedd rydw i wedi bod yn ddigon ffodus i 'grwydro y byd, ei led a'i hyd'. O Batagonia i Sweden, Ffrainc i Fiji, Taiwan i Tokyo. Ac mewn gwesty ym mhrifddinas Japan yr ysgrifennais i eiriau 'Anfonaf Angel.'

Yno roeddwn i ar gyfer ffilmio hanes Rhian Yoshikawa, merch o Dalwrn oedd yn byw efo'i gŵr Toru a'r plant Cai a Menna ym mhorthladd Chosi, sy'n enwog am ei marchnad bysgod. Cefais flasu bwyd y wlad, bwyta'r pysgod, yfed y te gwyrdd mewn seremoni draddodiadol, llowcio'r saki ac ymweld â theml Shintoaidd lle'r oedd Menna, mewn kimono hynod o brydferth yn llawn blodau lliwgar, yn rhan o seremoni i ddathlu ei phen-blwydd yn saith oed.

Buom yn crwydro Japan wledig hefyd ac yn gwylio'r ffermwyr yn defnyddio'r un dulliau cyntefig o aredig ag yr oedden nhw bron i bedwar can mlynedd yn ôl. Un dyn yn dilyn yr ychen gyda phostyn o bren caled a blaen main iddo yn cael ei dynnu ar draws y cae er mwyn rhwygo'r 'gwanwyn pêr o'r pridd' caled. Ar ôl dychwelyd i'r ugeinfed ganrif a dinas fawr Tokyo, y noson honno roeddwn i'n cael fy ffilmio yn canu karaoke. Japan ydi cartref karaoke, sef yr arferiad o ganu allan o diwn a gneud ffŵl ohonoch eich hun tra'n credu'r un pryd eich bod chi cystal pob tamed ag Elvis neu Jagger neu hyd yn oed Huw Chiswell.

Ymhell cyn i mi gyrraedd Japan yn 2003, roedd y gwestai mwyaf modern yn cynnig stafelloedd preifat lle gallech chi ganu karaoke nerth eich pen heb wneud ffŵl ohonoch eich hun yn gyhoeddus, gan anghofio fod y camera yn ffilmio'r cyfan. Roedd yna garped trwchus ar y llawr, seti o ledr coch o amgylch y stafell a sgrin enfawr ar wal gyfagos lle byddai canwr neu gantores y gân wreiddiol yn ymddangos, a geiriau'r gân yn rhedeg ar draws gwaelod y sgrin. Rŵan ac yn y man deuai cnoc ar y drws. Nid fel arwydd o'r ffaith fod y bobol drws nesa yn cwyno am y nadu aflafar, ond er mwyn sicrhau fod yna lif cyson o fwyd a diod yn fy nghyrraedd.

Gan fy mod i'n reit bell o'r 'green, green grass of home' nôl yng Nghymru roedd hi'n ddigon naturiol i mi ganu deuawd efo Tom Jones, a hynny'n weddol lwyddiannus hefyd os ga'i ddeud. Roedd hi tuag un o'r gloch y bore pan es i yn ôl i'r gwesty ar ôl perfformiad anhygoel o 'Honky Tonk Women' y Rolling Stones. Roedd hwn yn berfformiad y byddech chi wedi bod yn hapus i dalu dipyn go lew am ei glywed o. A dipyn mwy am beidio gweld yr ymgais or-frwdfrydig i ddynwared stranciau Mick.

Wn i ddim beth mae'r 36 miliwn o bobol sy'n byw yn Tokyo yn ei wneud am ddau o'r gloch y bore. Yn sicr, tydan nhw ddim yn cysgu. Tydan nhw byth yn cysgu. Mae Tokyo ar agor bedair awr ar hugain y dydd. A fedrwn i yn fy myw â mynd i gysgu rhwng sŵn sgrechian y Suzukis a 'hymian hwyr y ddinas' drwy'r ffenest agored yn fy nghadw ar ddihun. Dwi'n cofio gorwedd yno yn syllu i fyny ar y nenfwd ac yn teimlo ton o hiraeth am weld Anja, chwe mil o filltiroedd i ffwrdd yng Nghymru yn torri drosta i.

Codais i gau'r ffenest, a dyna pryd y teimlais i bresenoldeb rhywun arall yn y stafell ac 'alaw isel ei llais yn galw'n dawel'. Pan oeddwn i'n teithio ymhell o gartref roeddan ni bob amser yn deud wrth ein gilydd, 'Paid â phoeni, fyddi di ddim ar ben dy hun. Dwi 'di trefnu fod yna angel bychan yn dŵad i lawr yn y nos pan fyddi di'n cysgu i dy warchod di.' Eisteddais wrth fwrdd bychan yn y stafell a dechrau sgwennu – gair yma, brawddeg acw. Byddai digon o amser i dacluso a rhoi trefn ar y cyfan ar yr awyren ar y ffordd yn ôl.

Ar ôl dychwelyd adref fe benderfynais anfon y geiriau i Robat Arwyn gan awgrymu y gallem eu hanfon i gystadleuaeth Cân i Gymru. A dyna wnaethon ni. Ond roedd yna well caneuon, yn ôl y beirniaid, yn y gystadleuaeth y flwyddyn honno. Ac felly yng nghefn rhyw ddrôr y bu'r gân yn gorwedd am flwyddyn neu ddwy nes i Ysgol Dyffryn Nantlle gysylltu efo un o gyn-ddisgyblion enwoca'r ysgol, neb llai na Bryn Terfel, a gofyn iddo fo a wnâi o ganu yn y cyngerdd.

Gyda llaw, mae'r ymadrodd 'neb llai na hwn a hwn' wrth ganmol rhywun yn fy nharo fi'n chwithig. Mae yna ddigon o gantorion gyda llai o dalent na Bryn Terfel; ond prin fod yna neb efo mwy. Felly oni ddylem ni ddweud, 'neb mwy na hwn a hwn neu hon a hon' wrth eu canmol?

Beth bynnag, fe gytunodd Bryn ac fe gysylltodd gyda Robat Arwyn i weld a oedd ganddo gân heb ei chanu yng nghefn rhyw ddrôr yn rhywle. Fe gofiodd hwnnw am yr angel bach oedd yn cysgu yng nghefn y drôr ac fe'i hychwanegodd at y caneuon a ganwyd gan Bryn y noson honno. A dyna gychwyn taith ryfeddol y gân. O gyngerdd i angladdau, i briodasau, i lwyfan y noson lawen a'r eisteddfod, a chyngherddau mewn neuaddau crand a neuaddau pentref. Fe deithiodd i Seland Newydd hyd yn oed, gydag Aled Jones yn ei recordio i gyfeiliant Cerddorfa Symffoni'r wlad honno. Ond Bryn â'i recordiodd hi gyntaf gyda'r elw o werthiant y gân yn mynd at Gronfa Ambiwlans Awyr Cymru, gwasanaeth oedd yn agos iawn at ei galon.

Ar lwyfan Eisteddfod yr Urdd yng Nghaernarfon, fe ganodd

Rhys Meirion y gân er cof am ei chwaer Elen. Ac yn ddiweddarach yng ngeiriau Rhys ei hun:

'Cynhaliwyd cyngerdd er cof am Elen yng nghapel Tabernacl. Roedd hi'n ddiwrnod digon diflas, y cymylau llwyd yn isel a glaw mân yn disgyn. Ond pan es i ymlaen a dechrau canu "Anfonaf Angel" fe ddaeth yna lafn o oleuni drwy ffenest a tharo'r fan lle roeddwn i'n sefyll ac yn canu, a lle'r oedd Mam a Dad a Nia a Gwenllïan yn eistedd. Disgynnodd llafn ar y delyn hefyd ac ar y gynulleidfa gan ddiflannu'n araf fel roeddwn i'n canu.'

Flynyddoedd yn ddiweddarach fe wnaed rhaglen gyda Rhys yn cyflwyno, yn trafod effaith y gân ar fywydau rhai unigolion. Rhoddwyd pwyslais ar y rhai oedd yn dioddef o afiechyd meddwl ac wedi medru uniaethu gyda'r geiriau oedd yn rhoi mynegiant i'w teimladau personol hwythau hefyd.

Ond tydi geiriau heb alaw ddim yn gân. Ac mae Robat Arwyn wedi profi drosodd a throsodd ei fod o'n feistr am sgwennu alaw gofiadwy. Mae o hefyd yn gwybod sut i greu alaw sy'n mynnu oedi yn y cof ac sy'n tynnu ar dannau'r galon. A phan mae'r gân ar fin distewi, mae o'n mynnu troi'r sgriw emosiynol unwaith eto, ac yn ail-adrodd y cytgan am y tro olaf. Dwi'n eiddigeddus o Caryl, Huw Chiswell, Steve Eaves ac Al Lewis ac unrhyw un sydd nid yn unig yn gallu sgwennu geiriau ond cyfansoddi'r alawon hefyd. Ond wedi deud hynny fe wn y gallaf ddibynnu ar Robat Arwyn i fireinio'r geiriau efo'i gerddoriaeth. Wedi'r cwbwl, mae cân dda bob amser yn briodas berffaith rhwng y geiriau a'r alaw. Ac fel ym mhob priodas dda, mae'r naill yn cynnal y llall.

10.

Fel Hyn am Byth

Dy lygaid glas fel Clychau'r Gog yn Ebrill
Yn gwenu yn gariadus arnaf fi,
Y tynnu coes chwareus yng nghwmni ffrindiau,
Fel hyn am byth rwyf am dy gofio di;
Fel hyn am byth, a'th fraich yn dynn amdanaf,
Does dim all ein gwahanu ni ein dau,
Fe sychir dagrau ddoe gan haul yfory,
Mae'r stori fel ein cariad yn parhau.

Ti oedd yr un â'r galon fawr agored
Yn gysgod rhag pob storm a ddaeth i'm rhan,
Ti yw y llais sy'n sibrwd wrtha'i'n dawel
'Fe elli fod yn gryf a byth yn wan,'
Ti frwydrodd drwy bob nos i weld y bore,
Ti fynnaist fyw i aros gyda ni,
Ti fydd fy ysbrydoliaeth hyd y diwedd,
Fydd hynny byth yn newid, creda fi.

Cytgan
Fel hyn am byth, a'th fraich yn dynn amdanaf,
Does dim all ein gwahanu ni ein dau,
Fe sychir dagrau ddoe gan haul yfory,
Mae'r stori fel ein cariad yn parhau.

Ar ôl ein ffarwel olaf sylweddolais
Y gallwn alw arnat unrhyw bryd,
A'th fod yn agos, agos iawn bob amser.
Yn brysio heibio neu yn croesi'r stryd;
A ddoe, â'r glaw parhaol wedi cilio
A'r haul yn sbecian drwy'r cymylau du,
Fe'th welais di o bell yn gwenu arnaf
Yn troi – ac yna'n rhoi dy law i mi.

Cytgan
Fel hyn am byth, a'th fraich yn dynn amdanaf,
Does dim all ein gwahanu ni ein dau,
Fe sychir dagrau ddoe gan haul yfory,
Mae'r stori fel ein cariad yn parhau.

Yn ystod 2021, fe gefais fy holi ar *Dechrau Canu Dechrau Canmol* gan Nia Roberts, ac fe benderfynwyd cynnwys 'Anfonaf Angel' yn y rhaglen. Datganiad tyner a syml iawn oedd hwn. Heb na chôr na cherddorfa yn y cefndir, dim ond merch ifanc yn eistedd ar stôl a Geraint Cynan yn cyfeilio. Ac fe wyddwn i yn well na neb pa mor anodd oedd hi i'r unawdydd ganu'r geiriau gan mai i'w mam y cyfansoddais i nhw.

Yr ail gân ydi 'Fel Hyn am Byth', a sgwennwyd yn ystod y cyfnod Covid ddwy flynedd ar ôl colli Anja. Roeddwn i wedi bod fyny i Brestatyn, ei phentref genedigol, i daenu ei llwch ar fedd ei rhieni ym mynwent Coed Bell, sydd wedi ei henwi ar ôl y carped glas o glychau'r gog sy'n gorchuddio'r tir ym mis Ebrill. Roedd Anja yn hoff iawn o'r lleoliad, ond ddim yn hoff o'r syniad o gael ei chladdu. Nid enaid i'w garcharu mewn arch oedd Anja ond ysbryd rhydd oedd ar fynd o hyd. Yn union fel y llwch a gipiwyd gan y gwynt ar y diwrnod hwnnw o Fawrth, dydd ei phenblwydd.

Mae pennill olaf y gân yn ymdrech i geisio crynhoi rhywbeth a ddigwyddodd tra roeddwn i'n sgwennu'r geiriau mewn caffi yn un o'r arcêds yng Nghaerdydd, lle rydwi'n sgwennu ar hyn o bryd fel mae'n digwydd. Drwy'r ffenest enfawr sy'n edrych allan o'r caffi ar fywyd prysur y ddinas yn mynd a dod fe welais gipolwg o rywun oedd yn edrych yr un ffunud ac Anja yn gwibio heibio. Cipolwg cyflym ar wallt brown cyrliog a chot frethyn laes lwyd. 'Digwyddodd – darfu.' Ond roedd o'n ddigon i'm gorfodi i godi yn y foment honno o fy nghader a mynd allan i'r arcêd gan obeithio cael cadarnhad mai Anja oedd hi, am wn i. Ond nid dyna ddiwedd y stori.

Y noson honno, a hynny ddim am y tro cyntaf na'r tro olaf chwaith, breuddwydiais amdani. A'r tro hwn doedd yna ddim amheuaeth pwy oedd wedi mynd heibio'r ffenest i fyny'r arcêd. Allan â mi a galw ei henw. Oedodd ym mhendraw'r arcêd, a throi a gwenu cyn cynnig ei llaw i mi. Breuddwydiais freuddwydion tebyg fwy nag unwaith ers hynny, er na ddaeth y breuddwydion yn wir.

Erbyn hyn, dair blynedd yn ddiweddarach, mae meddwl amdani a gweld y llygaid glas yn gwenu arnaf yn gysur o ryw fath. Fydd y cariad byth yn 'cwympo ymaith'. Ond mae ei natur wedi newid eisoes, wedi cryfhau a dyfnhau. Ac fel ein stori ni'n dau, yn mynd i barhau fel hyn am byth.

Atgofion drwy Ganeuon – y gyfres sy'n gefndir
i fiwsig ein dyddiau ni

Linda
yn adrodd straeon
SEIDR DDOE
ÔL EI DROED
PENTRE
LLANFIHANGEL
TÂN YN LLŶN
a chaneuon eraill

Ems
yn adrodd straeon
YNYS LLANDDWYN
COFIO DY WYNEB
PAPPAGIOS
Y FFORDD AC YNYS
ENLLI
a chaneuon eraill

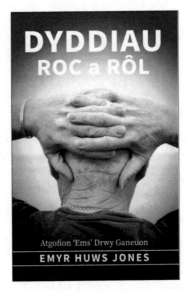

Doreen
yn adrodd straeon
RHOWCH I MI GANU
GWLAD
SGIDIAU GWAITH
FY NHAD
NANS O'R GLYN
TEIMLAD CYNNES
a chaneuon eraill

Richard Ail Symudiad
yn adrodd straeon
Y FFORDD I SENART
TRIP I LANDOCH
GRWFI GRWFI
CEREDIGION
MÔR A THIR
a chaneuon eraill

Y Cyrff
yn adrodd straeon
CYMRU LLOEGRA
LLANRWST
ANWYBYDDWCH NI
DEFNYDDIA FI
IFANC A FFÔL
a chaneuon eraill

Geraint Davies
yn adrodd straeon
DEWCH I'R
LLYSOEDD
HEI, MISTAR URDD
UGAIN MLYNEDD
YN ÔL
CYW MELYN OLA
a chaneuon eraill

Ryland Teifi
yn adrodd straeon
NÔL
YR ENETH GLAF
BRETHYN GWLÂN
LILI'R NOS
PAM FOD EIRA
YN WYN
MAN RHYDD
a chaneuon eraill

Neil Rosser
yn adrodd straeon
OCHR TREFORYS O'R
DRE
DYDDIAU ABER
MERCH Y FFATRI
DDILLAD
GITÂR NEWYDD
a chaneuon eraill

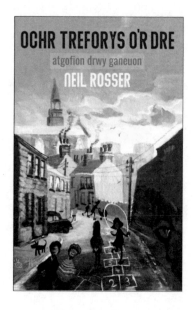

Tudur Morgan
yn adrodd straeon
LLWYBRAU DDOE
ENFYS YN ENNIS
STRYD AMERICA
GIATIA GRESLAND
PORTH MADRYN
a chaneuon eraill

Dafydd Iwan
yn adrodd straeon
YMA O HYD
PAM FOD EIRA
YN WYN
ESGAIR LLYN
OSCAR ROMERO
HAWL I FYW
a chaneuon eraill

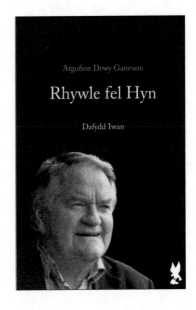

Atgofion Drwy Ganeuon

Rhywle fel Hyn

Dafydd Iwan

Arfon Wyn
yn adrodd straeon
CREDAF
FE GODWN ETO
PAID Â CHAU Y
DRWS
CYN I'R HAUL FYND
LAWR
HAUL AR FRYN
a chaneuon eraill